KU-143-343

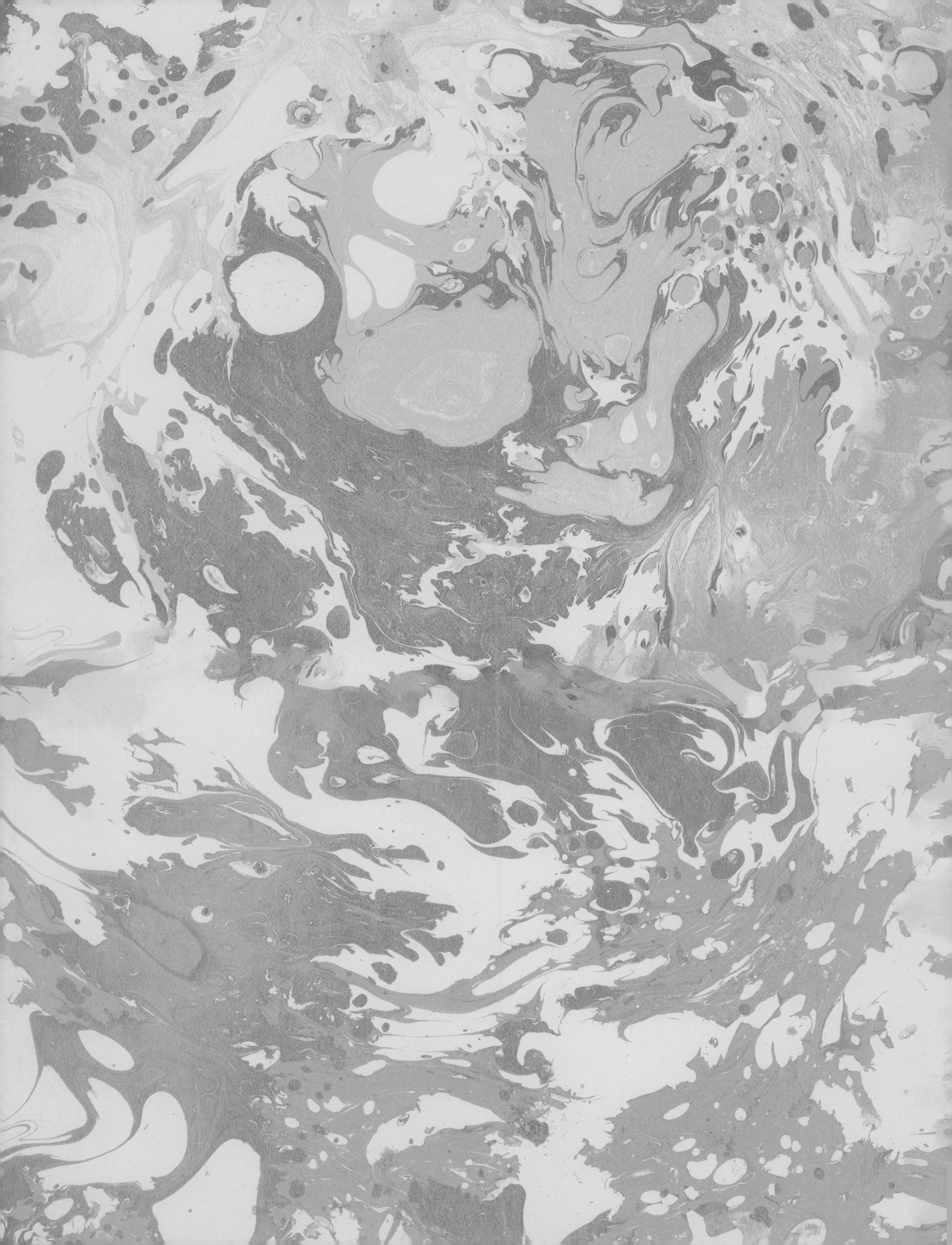

TRACH

Dla Rosemary, która na początku lat siedemdziesiątych lubiła udawać, że nurkuje w przydomowym ogródku.

Dla Beatrice, która na początku lat czterdziestych wracała do domu na rowerze dróżką oświetloną przez robaczki świętojańskie.

Dla mojej matki i babci oraz wszystkich dzieci, które są do nich podobne – J.S.

Tytuł oryginału: *Bang. The Wild of Wonders of Earth's Phenomena*
Autor: Jennifer N. R. Smith
Konsultacja tekstu oryginalnego: Jon Cannell
Tłumaczenie: Jacek Konieczny
Redaktorka prowadząca: Katarzyna Juszyńska
Redakcja: Milena Schefs
Korekta: Magdalena Mierzejewska, Ewa Słotwińska
Korekta merytoryczna: Agnieszka Drzazgowska
Skład: Ewa Sosnowska

Pierwsze wydanie: Wielka Brytania 2024
Thames & Hudson Ltd, 181A High Holborn, London WC1V 7QX

Warszawa 2024
Wydanie I
M2003

ISBN 978-83-8319-209-3

Grupa Wydawnicza Foksal Sp. z o.o.
02-672 Warszawa, ul. Domaniewska 48
tel. +48 22 826 08 82, fax +48 22 380 18 01
biuro@gwfoksal.pl
www.gwfoksal.pl
www.wydawnictwowilga.pl

JENNIFER N. R. SMITH

TRACH

ZDUMIEWAJĄCY ŚWIAT NATURY

WILGA

SPIS TREŚCI

ZJAWISKOWY ŚWIAT 6

STRUKTURA ZIEMI 8

ANATOMIA **WULKANU** 10

WARSTWY **HISTORII** 12

FORMOWANIE SIĘ **GÓR** 14

TRZĘSIENIA **ZIEMI** 16

GEJZERY I GORĄCE ŹRÓDŁA 18

JASKINIE I **KRYSZTAŁY** 20

POTĘGA LODU 22

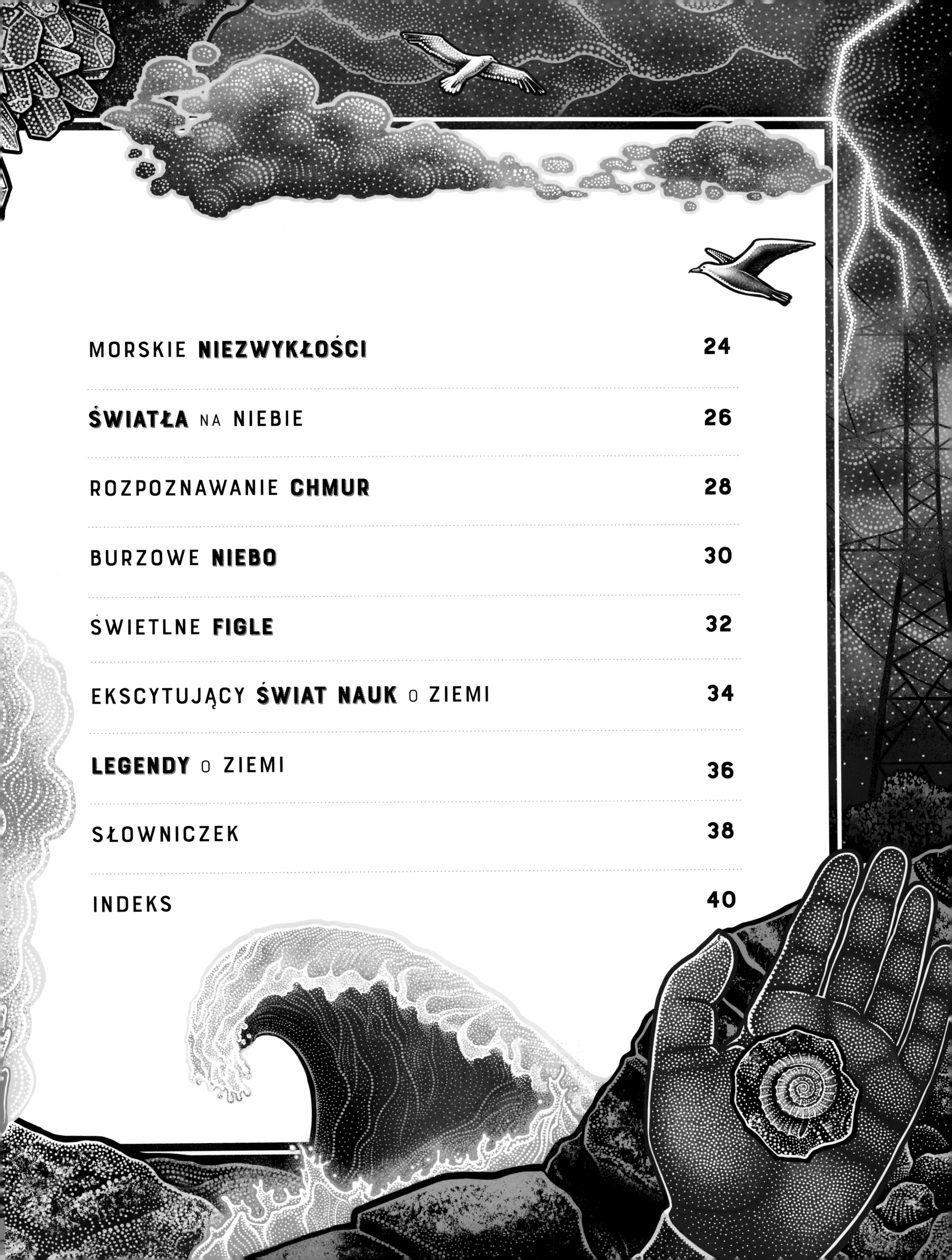

MORSKIE **NIEZWYKŁOŚCI** 24

ŚWIATŁA NA NIEBIE 26

ROZPOZNAWANIE **CHMUR** 28

BURZOWE **NIEBO** 30

ŚWIETLNE **FIGLE** 32

EKSCYTUJĄCY **ŚWIAT NAUK** O ZIEMI 34

LEGENDY O ZIEMI 36

SŁOWNICZEK 38

INDEKS 40

ZJAWISKOWY ŚWIAT

TRACH! Z WULKANU W INDONEZJI WYTRYSKUJĄ OGNISTE PIÓROPUSZE lawy. Na dalekiej północy, tysiące kilometrów stamtąd, lis polarny podziwia tańczące na niebie zielone rzeki światła. Ziemia to doprawdy zjawiskowa planeta!

Zjawisko to zdarzenie, które można zaobserwować za pomocą zmysłów, czyli którego można doświadczyć za ich pośrednictwem.

A kiedy mówimy, że coś jest **zjawiskowe**, chodzi nam o to, że jest niezwykłe lub wyjątkowe – robi na nas wielkie wrażenie!

Zjawiska naturalne to takie, które następują w przyrodzie samoczynnie, a nie za sprawą człowieka. Z niektórymi, takimi jak tęcza czy błyskawica, stykamy się dość często. Inne są rzadsze lub można je zobaczyć tylko w niektórych miejscach, na przykład w pobliżu wulkanów.

Typy zjawisk, z którymi możesz mieć do czynienia, zależą od **klimatu** w miejscu twojego zamieszkania, a także od geologii lokalnego krajobrazu.

Góry, wulkany, **gejzery** i trzęsienia ziemi występują najczęściej wzdłuż granic płyt tektonicznych (patrz strony 8–9).

Niektóre **zjawiska meteorologiczne** zdarzają się częściej w miejscach wyjątkowo zimnych (bliżej biegunów północnego i południowego) lub bardzo gorących (blisko równika).

LEGENDA RYCINY

1. LIS POLARNY, NUNAVUT, KANADA **2.** GEJZER – JEZIORO BOGORIA, KENIA
3. WIRY – NARUTO, JAPONIA **4.** GÓRY – ANDY, PERU
5. LODOWCE I GÓRY LODOWE – ANTARKTYKA
6. WULKAN – MERAPI, INDONEZJA

1.
2.
3.
OCEAN ARKTYCZNY
EUROPA
AZJA
OCEAN ATLANTYCKI
AFRYKA
AMERYKA
POŁUDNIOWA
OCEAN INDYJSKI
AUSTRALIA
I OCEANIA
OCEAN POŁUDNIOWY
ANTARKTYKA
6.
5.

STRUKTURA ZIEMI

MASZ OCHOTĘ NA KAWAŁEK TORTU? ŻEBY LEPIEJ ZROZUMIEĆ ZJAWISKA OPISANE W TEJ KSIĄŻCE, WARTO poznać strukturę Ziemi. Gdyby wyciąć z niej kawałek, okazałoby się, że nasza planeta – niczym tort w grubej lukrowej polewie – ma skorupę, a pod twardą powierzchnią wcale nie jest aż taka sztywna, jak by się mogło wydawać! A co z jej temperaturą? Ziemia – podobnie jak ciasto wyjęte z piekarnika – jest chłodniejsza na zewnątrz i coraz cieplejsza w środku. Głęboko w jej wnętrzu temperatura jest tak wysoka, że skały i metale topią się i stają się płynne.

ATMOSFERA

Zewnętrzna powłoka Ziemi to atmosfera. Pełni ona funkcję ochronną, trochę jak warstwa z folii bąbelkowej. Atmosfera składa się z różnych gazów, w tym tlenu potrzebnego nam do życia. W niej właśnie można zaobserwować wiele niesamowitych zjawisk naturalnych, takich jak burze i zorze polarne!

SKORUPA

Ziemia pod naszymi stopami wydaje się twarda, ponieważ żyjemy na jej skorupie, zbudowanej z litej skały. Jest to najcieńsza warstwa Ziemi. Skorupa dzieli się na **płyty tektoniczne**, które pasują do siebie niczym elementy układanki.

PŁASZCZ

Warstwa skał znajdujących się pod skorupą ziemską nosi nazwę płaszcza. Skały te są gorące i półpłynne niczym kremowe nadzienie ciasta. Płaszcz stale jest w ruchu, ponieważ tworzące go skały wciąż nagrzewają się od jądra Ziemi, unoszą ku skorupie, tam schładzają i opadają z powrotem.

JĄDRO ZEWNĘTRZNE

Pod płaszczem znajduje się jądro zewnętrzne, złożone z płynnych metali. Oba jądra – zewnętrzne i wewnętrzne – są niesamowicie gorące. Temperatura wynosi tam około 5000°C.

JĄDRO WEWNĘTRZNE

W samym środku Ziemi znajduje się jądro wewnętrzne – kula litego metalu, złożona z niklu i żelaza. Na ogromnej głębokości – 6400 kilometrów – na metale te wywierane jest tak wielkie ciśnienie, że mimo panującej tam bardzo wysokiej temperatury nie są one w stanie topnieć.

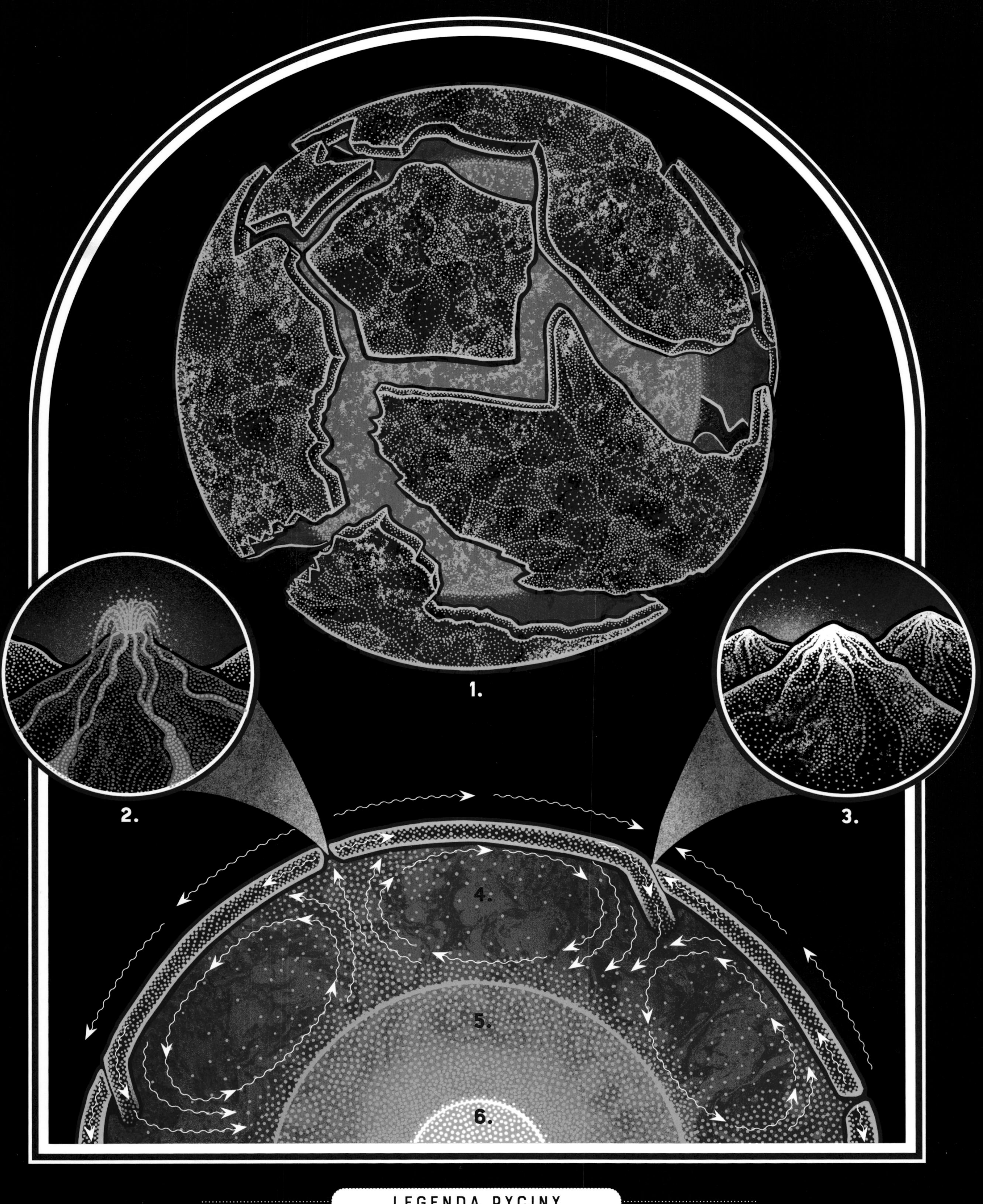

LEGENDA RYCINY

1. PŁYTY TEKTONICZNE ZIEMI **2.** WULKAN POWSTAJĄCY W MIEJSCU ROZCHODZENIA SIĘ PŁYT TEKTONICZNYCH
3. PASMO GÓRSKIE POWSTAJĄCE W MIEJSCU NACHODZENIA NA SIEBIE PŁYT TEKTONICZNYCH
4. PŁYNNA SKAŁA KRĄŻĄCA W PŁASZCZU **5.** JĄDRO ZEWNĘTRZNE **6.** JĄDRO WEWNĘTRZNE

Skorupa ziemska jest podzielona na płyty tektoniczne. Pod nimi znajduje się płaszcz, w którym chłodniejsza płynna skała opada, a cieplejsza się wznosi – i to właśnie za sprawą tego procesu płyty tektoniczne się poruszają. Mogą się przesuwać względem siebie, przybliżać lub oddalać w zależności od ruchów w płaszczu poniżej. Większość wulkanów, gór i trzęsień ziemi występuje wzdłuż granic płyt tektonicznych.

ANATOMIA WULKANU

Z POTĘŻNYM DUDNIENIEM ROZGRZANA DO CZERWONOŚCI LAWA WYTRYSKUJE Z WNĘTRZA GÓRY. Następnie jej potoki spływają po zboczach, rozlewają u podnóża i ochładzają, zastygając w niezwykłe kształty i formując okoliczny krajobraz. Wulkan jest otworem w powierzchni Ziemi, przez który rozgrzana do czerwoności skała, gaz i popiół z impetem wydobywają się na zewnątrz. Zjawisko to nazywa się erupcją.

WULKAN TARCZOWY

GORĄCO, ALEŻ GORĄCO!

Płynna lub roztopiona skała pod powierzchnią Ziemi to magma, kiedy jednak wydostanie się ona na powierzchnię, nazywamy ją lawą. Lawa może osiągać temperaturę aż 1250°C!

Wulkany dzieli się na wiele różnych kategorii, ale dwa podstawowe typy to wulkany tarczowe i stratowulkany. Te pierwsze są niższe, a ich erupcje dość rzadkie. A kiedy już do nich dochodzi, przybierają one głównie postać łagodnych strumieni lawy.

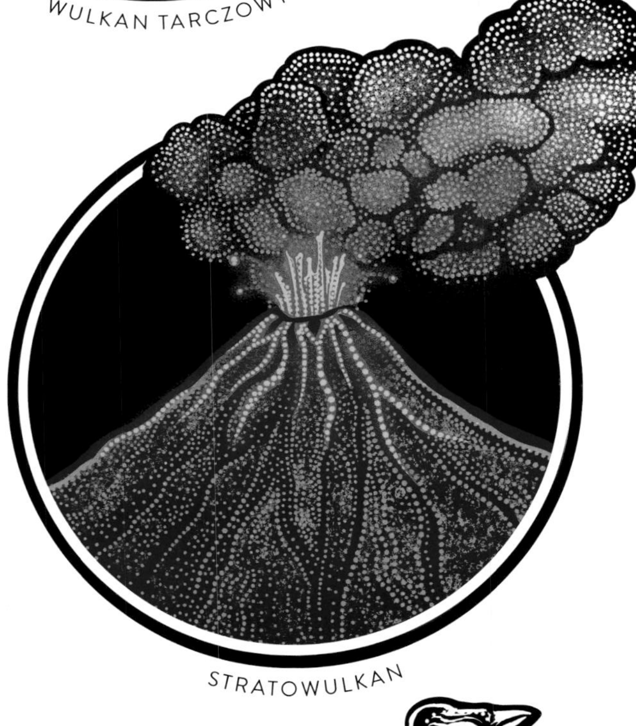

STRATOWULKAN

Stratowulkany mają natomiast bardziej strome zbocza i wybuchają gwałtowniej. Towarzyszą temu nie tylko większe chmury popiołu i fontanny lawy, lecz także spływy piroklastyczne. Są to przemieszczające się z bardzo dużą prędkością chmury niezwykle gorącego pyłu, kawałków lawy i gazu. Spływy piroklastyczne są wyjątkowo niebezpieczne i niszczycielskie.

Skala erupcji zależy od tego, z jaką łatwością naturalny gaz uwalnia się z magmy. Im bardziej gęsta i maziowata jest magma, tym więcej gromadzi się w niej z czasem bąbelków powietrza. W rezultacie w komorze wulkanicznej wzrasta ciśnienie, aż w końcu... TRACH!

Nie wszystkie wulkany pozostają aktywne. Wygasłe wulkany raczej nigdy więcej nie wybuchną. W drzemiących od bardzo długiego czasu nie doszło do erupcji, ale kiedyś może do niej ponownie dojść.

NOGAL HEŁMIASTY – INDONEZJA

ŻYCIE WŚRÓD WULKANÓW

Mogłoby się wydawać, że w związku z powtarzającymi się erupcjami bliskość wulkanów nie sprzyja życiu. Okazuje się jednak, że potrafi ono tam wręcz kwitnąć. Gleba wokół wulkanów jest bogata w minerały i niezwykle żyzna, co sprzyja rozwojowi roślin.

Niektóre zwierzęta zaadaptowały się do życia w środowisku wulkanicznym. Nogale hełmiaste zakopują swoje jaja w glebie wulkanicznej, żeby je ogrzać. Pisklęta po wykluciu muszą wygrzebać się spod ziemi. Wyobraź sobie życie w takim miejscu!

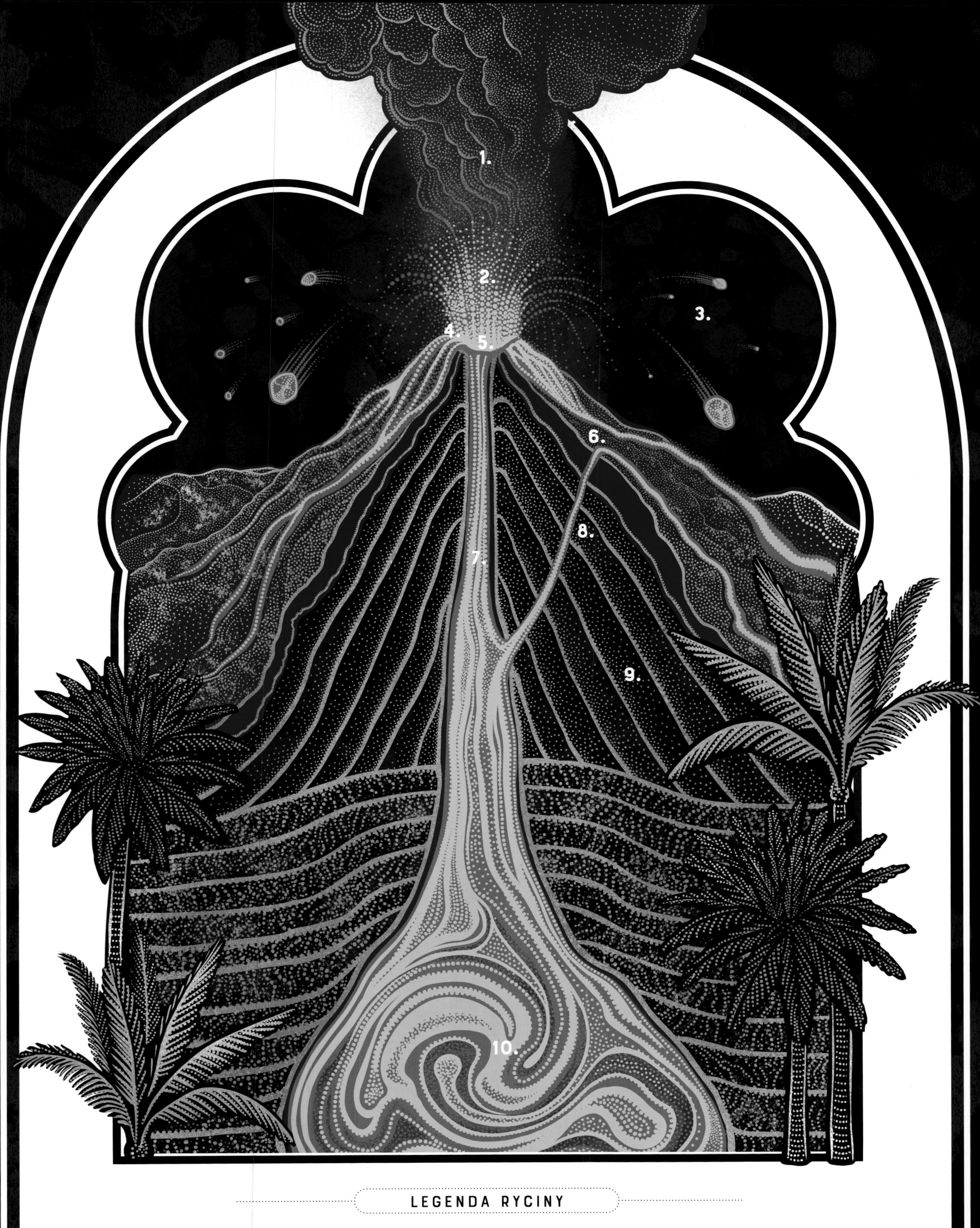

LEGENDA RYCINY

PRZEKRÓJ WULKANU

1. CHMURA POPIOŁU **2.** FONTANNA LAWY **3.** BOMBY WULKANICZNE **4.** KRATER **5.** KOMIN **6.** KOMIN BOCZNY **7.** KANAŁ LAWOWY **8.** PRZEWÓD BOCZNY **9.** WARSTWY POPIOŁU Z POPRZEDNICH ERUPCJI **10.** KOMORA WULKANICZNA

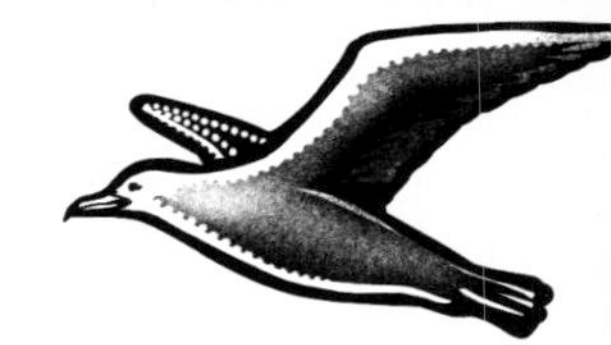

WARSTWY HISTORII

WIELE INFORMACJI O HISTORII NASZEJ PLANETY MOŻEMY ZDOBYĆ DZIĘKI BADANIU TEGO, co znajduje się pod naszymi stopami. Warstwy skalne opowiadają historię Ziemi – zapisały się w nich zarówno ważne zjawiska pogodowe, jak i dinozaury.

JAK CZYTAĆ W SKAŁACH

Istnieją trzy główne typy skał: magmowe, metamorficzne i osadowe. Każdy z nich zdradza nam jakieś informacje na temat swojego pochodzenia.

Skały magmowe powstają z lawy (na zewnątrz) lub magmy (pod ziemią), która wystygła i stężała. Możemy się z nich dowiedzieć wiele o historii aktywności tektonicznej danego obszaru. Takie skały bardzo trudno rozkruszyć. Często mają one ciemny kolor. Niektóre z nich, na przykład pumeks, odznaczają się porowatą strukturą, która powstała podczas ulatniania się gazu ze stygnącej lawy.

Skały metamorficzne były pierwotnie innym rodzajem skał, ale uległy przekształceniu pod wpływem wysokiej temperatury i ciśnienia głęboko pod powierzchnią ziemi. Wynikiem tej transformacji bywa niekiedy ciekawa struktura. Przykładem skały metamorficznej jest marmur.

Skały osadowe powstają z **osadu** złożonego z materii organicznej oraz drobinek skał uwolnionych wskutek erozji. Kiedy osad ulegnie sprasowaniu pod wpływem ciśnienia, powstaje skała osadowa, na przykład wapień. Skały osadowe można często rozpoznać po ich warstwowej strukturze. Niekiedy zachowują się w nich większe kawałki materii organicznej, jak muszle czy kości, które nazywamy **skamieniałościami**.

JAK POWSTAJE SKAMIENIAŁOŚĆ

Skamieniałości znajdujemy w warstwach skał osadowych. Aby takie struktury powstały, martwe zwierzę lub roślina (materia organiczna) muszą zostać pokryte osadem. Dzieje się to najczęściej w spokojnych zbiornikach wodnych, na przykład w płytkich morzach, jeziorach czy rzekach.

Niektóre części materii organicznej dość szybko ulegają rozkładowi, dlatego w osadzie pozostają przeważnie tylko twarde fragmenty zwierzęcia lub rośliny. Większość skamieniałości zawiera kości lub muszle – ponieważ przetrwały one dłużej i miały czas ulec petryfikacji.

W odpowiednich warunkach materia organiczna zamienia się w kamień – w procesie zwanym **petryfikacją**. Kiedy osad staje się skałą, materia organiczna ulega stopniowemu rozkładowi, a jej miejsce zajmują minerały rozpuszczone w wodzie. To one tworzą piękną skalną kopię organizmu – skamieniałość!

PODRÓŻ W CZASIE

Warstwy skorupy ziemskiej mogą pełnić funkcję kalendarza historii naszej planety. Zwykle im głębiej znajduje się jakaś skała, tym jest starsza. Warto jednak pamiętać, że warstwy skalne często ulegają odkształceniom, przesunięciom lub zostają odsłonięte przez różnorodne procesy geologiczne, choćby trzęsienia ziemi lub erozję. Wtedy łatwiej jest do nich dotrzeć i zacząć je badać.

Aby móc odmierzać czas geologiczny, ludzie podzielili go na okresy, trwające często miliony lat. Koniec każdego z tych okresów wyznaczała znacząca zmiana klimatu Ziemi lub środowiska, do której dochodziło zwykle w efekcie jakiegoś dramatycznego wydarzenia. Każde tego typu wydarzenie powodowało masowe wyginięcie organizmów i doprowadzało do zasadniczej zmiany wśród gatunków zwierząt i roślin zamieszkujących Ziemię.

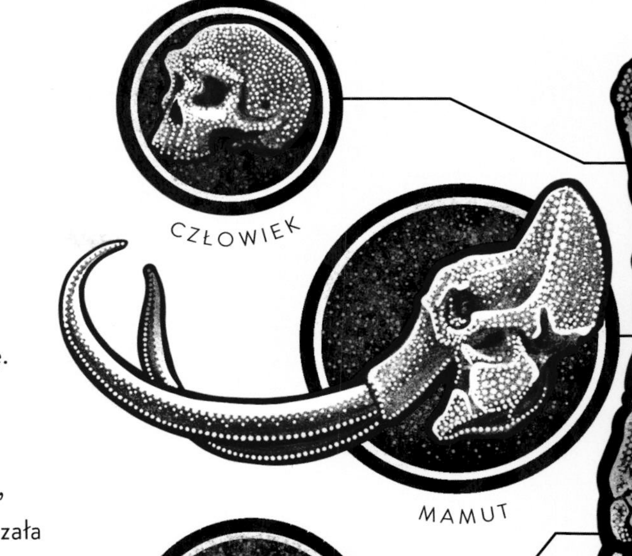

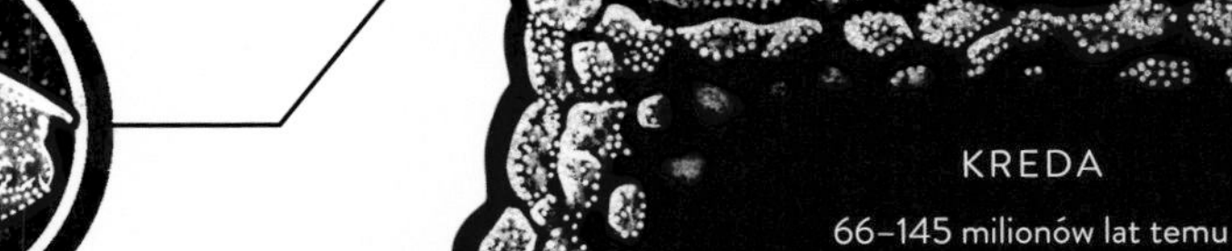

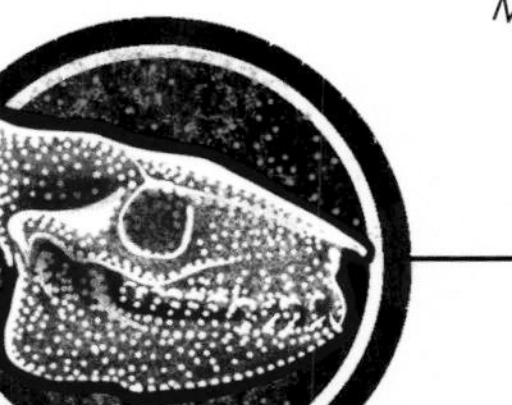

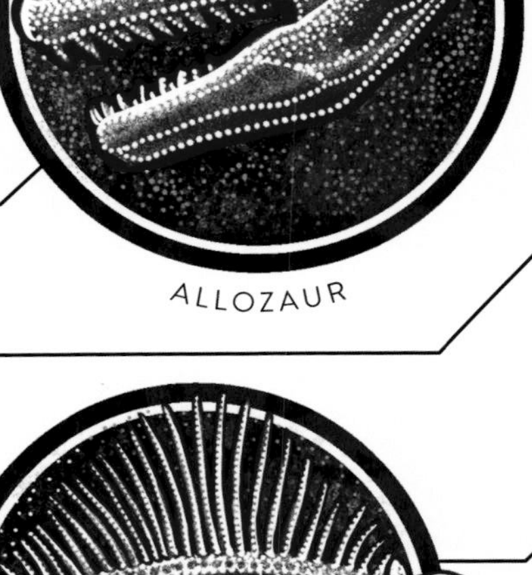

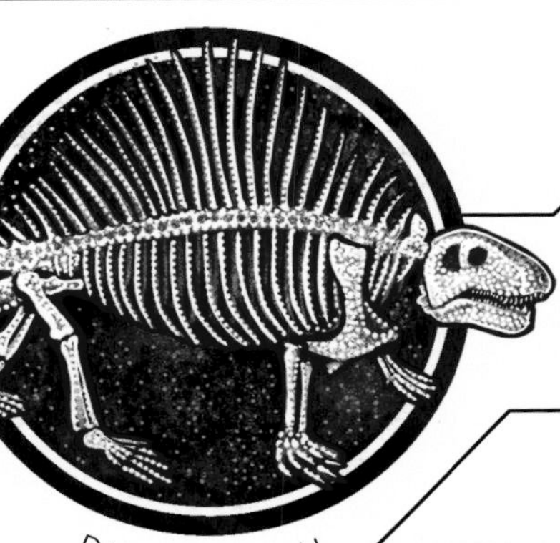

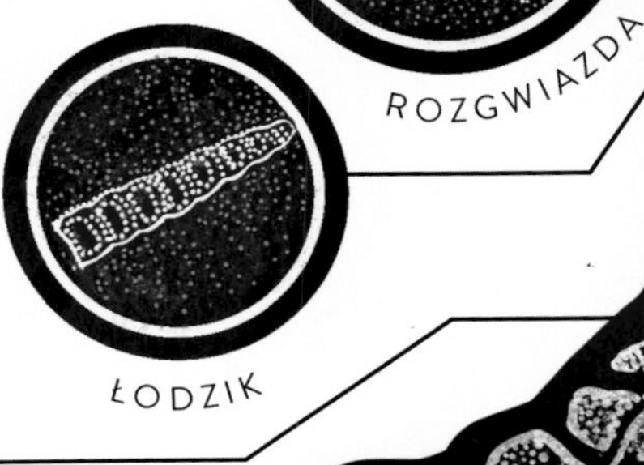

FORMOWANIE SIĘ GÓR

GÓRY FAŁDOWE

GÓRY WYSTĘPUJĄ W NAJRÓŻNIEJSZYCH MIEJSCACH CAŁEJ KULI ZIEMSKIEJ.
Są imponujące, ekscytujące i można w nich przeżyć wiele przygód – ale jak powstały?

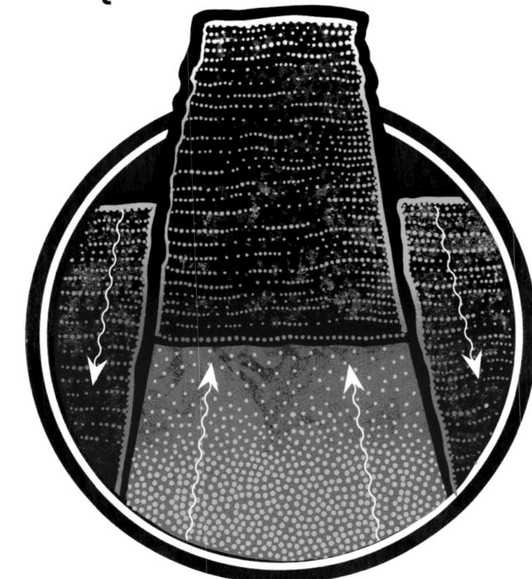

GÓRY ZRĘBOWE

ZDERZENIA PŁYT

Góry fałdowe to najbardziej rozpowszechniony typ gór. Powstają w miejscach, w których napierają na siebie dwie płyty tektoniczne. Pod wpływem ciśnienia skorupa ziemska ulega tam pofałdowaniu. Przykładem takich gór są azjatyckie Himalaje.

PĘKNIĘCIA ZIEMI

Góry zrębowe, zwane również załomowymi, powstają w miejscach, w których fragment skorupy ziemskiej ulega wydźwignięciu wzdłuż **linii uskoku**. Linie uskoku to pęknięcia powierzchni Ziemi, czyli miejsca, w których stykają się płyty tektoniczne. Przykładem gór zrębowych jest pasmo górskie Harz w Niemczech.

GÓRY KOPUŁOWE

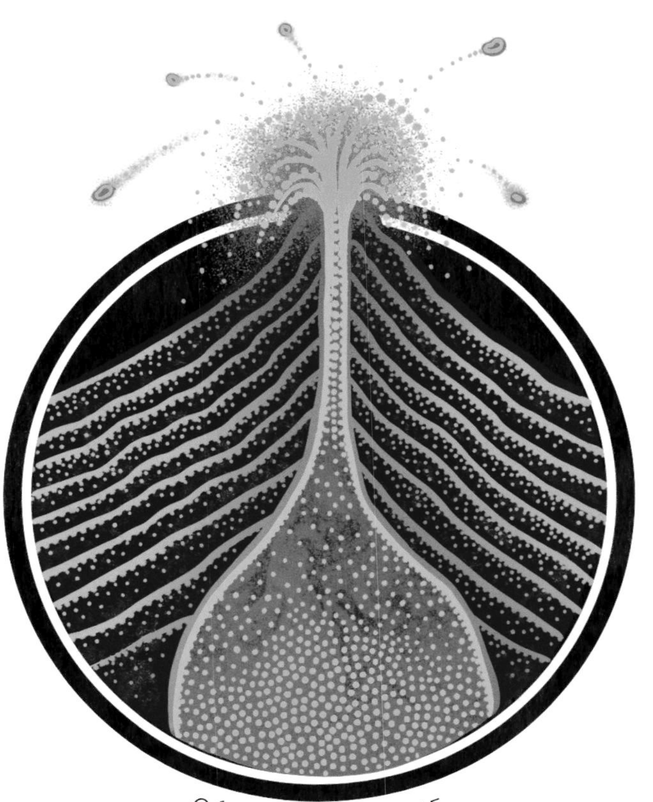

GÓRY WULKANICZNE

RUCHY MAGMY

Góry kopułowe powstają w miejscach, w których magma naciska od spodu na skorupę ziemską, a następnie ochładza się i zastyga w skały magmowe. **Góry wulkaniczne** powstają w wyniku erupcji wulkanów. Te mogą być aktywne, drzemiące lub wygasłe. Japoński szczyt Fudżi to przykład aktywnego wulkanu.

WYRZEŹBIONE PRZEZ ŻYWIOŁY

Góry mogą powstawać również pod wpływem innych zjawisk przyrodniczych. Płaskowyż – płaski obszar wyniesiony w górę – może być „poprzecinany" głębokimi dolinami powstałymi wskutek erozji, co nadaje mu wygląd pasma górskiego. Przykładem takiego płaskowyżu są Góry Błękitne w Australii.

PŁASKOWYŻE

LEGENDA RYCINY

1. MOUNT EVEREST jest najwyższą górą na Ziemi, jej szczyt znajduje się prawie 8849 metrów nad poziomem morza. **2. TENZINGA NORGAYA** i **3. EDMUNDA HILLARY'EGO** w 1953 roku uznano za pierwszych ludzi, którzy weszli na szczyt Mount Everestu. Tenzing Norgay był Szerpą z Nepalu, a Edmund Hillary Nowozelandczykiem. **4.** W Himalajach żyje **KOZIOROŻEC SYBERYJSKI**, który potrafi się wspinać na niezwykle strome zbocza dzięki antypoślizgowym kopytom.

TRZĘSIENIA ZIEMI

CZUJESZ NAGŁE SZARPNIĘCIE. WSZYSTKO SIĘ TRZĘSIE. MASZ POCZUCIE, ŻE KOŁYSZESZ SIĘ NA MORZU, mimo że przebywasz na lądzie. Co się dzieje? Mniej więcej co trzydzieści sekund gdzieś na naszej planecie dochodzi do trzęsienia ziemi. Większość z nich jest bardzo słaba i pozostaje niezauważona. Te poważniejsze potrafią spowodować ogromne zniszczenia.

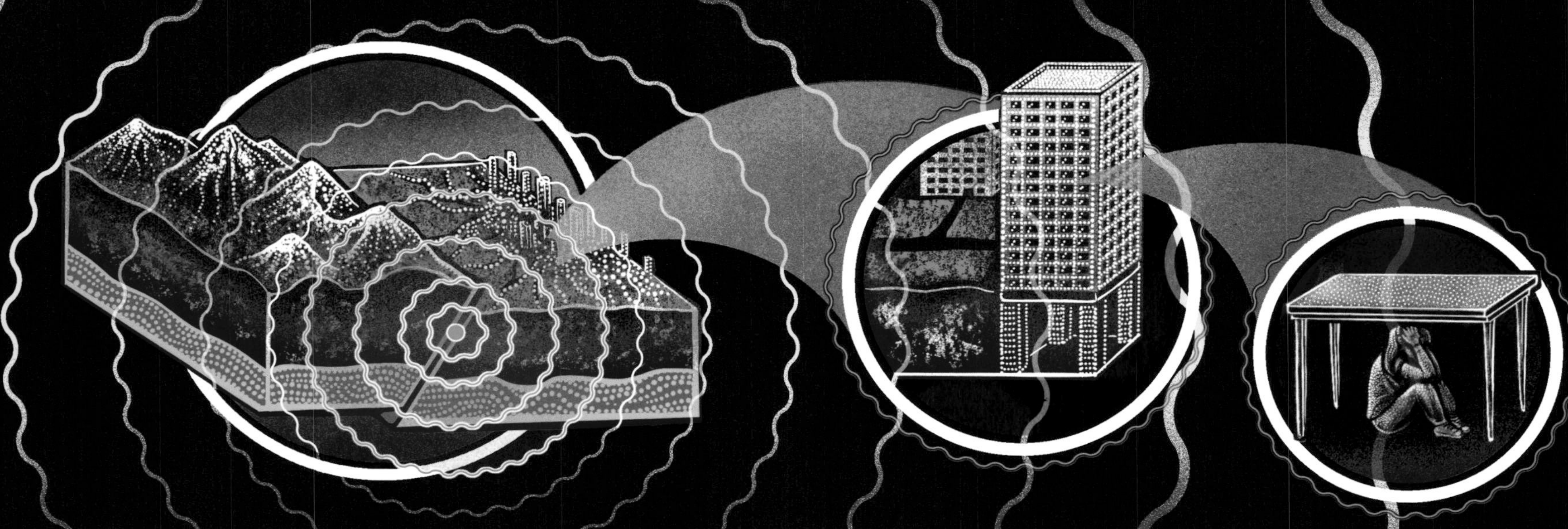

SKĄD SIĘ BIORĄ TRZĘSIENIA ZIEMI?

Płyty tektoniczne nieustannie się poruszają. Choć proces ten zachodzi niezwykle powoli, czasami klinują się one o siebie na skutek dużego **tarcia**. Wyobraź sobie, że twoje dłonie są takimi płytami. Złóż je mocno, a potem spróbuj przesunąć względem siebie. Może się okazać, że będą dokładnie do siebie przylegać, a kiedy już dojdzie do ruchu, będzie on gwałtowny. Na przesuwające się płyty tektoniczne działają siły tarcia – czasami na tyle duże, że płyty przesuwają się skokowo, a kiedy to się dzieje, trzęsie się ziemia.

PRZEWIDYWANIE, PRZYGOTOWYWANIE SIĘ, PRZETRWANIE

Wiemy mniej więcej, na jakich obszarach może dojść do trzęsienia ziemi, jako że zjawisko to występuje blisko tektonicznych linii uskoku. Trudniejszym zadaniem okazuje się określenie, kiedy się ono wydarzy i jak będzie duże. W państwach, które często doświadczają trzęsień ziemi, wypracowano sposoby minimalizowania szkód. Niektóre budynki mają tam gumowe fundamenty pochłaniające wstrząsy albo konstrukcje wzmocnione stalą, które mogą się uginać i kołysać zgodnie z ruchami podłoża, lecz są to kosztowne rozwiązania. W takich miejscach władze regularnie zarządzają ćwiczenia i alarmy próbne, aby ludzie nie zapomnieli, jak się zachować w czasie trzęsienia ziemi – i pamiętali na przykład, że należy się schować pod biurkiem w celu ochrony przed spadającymi z góry odłamkami i przedmiotami.

WIELKIE FALE

Do wielu trzęsień ziemi dochodzi pod dnem oceanów. Niektóre z nich są potężne i mogą powodować nagłe przemieszczanie się ogromnych ilości wody. Powstają wtedy wyjątkowo wysokie fale zwane **tsunami**. Bywają one niezwykle niszczycielskie, ponieważ powodują podtopienia ogromnych obszarów lądu, a ich olbrzymia energia może doprowadzić do poważnych szkód, kiedy uderzą w budynki.

Tsunami przemieszczają się bardzo szybko, lecz ich nadejście można czasami przewidzieć z kilkugodzinnym wyprzedzeniem. Około 80% tsunami powstaje w obszarze Oceanu Spokojnego zwanym Pacyficznym Pierścieniem Ognia. Działa tam Pacyficzny System Ostrzegania przed Tsunami. Składa się on z czujników, które rejestrują ruch fal, a to pozwala obliczyć czas dotarcia tsunami do lądu. Dzięki temu systemowi coraz częściej można uratować życie wielu ludzi.

LEGENDA RYCINY

1. PÓŁNOCNOAMERYKAŃSKA PŁYTA TEKTONICZNA **2.** EURAZJATYCKA PŁYTA TEKTONICZNA **3.** GRZBIET ŚRÓDATLANTYCKI

Doliny ryftowe to wielkie pęknięcia skorupy ziemskiej, powstające, kiedy dwie płyty tektoniczne oddalają się od siebie. Wzdłuż ich granic często dochodzi do trzęsień ziemi. Dolina ryftowa Þingvellir na Islandii to jedno z niewielu miejsce na świecie, gdzie można przejść suchą stopą między dwiema kontynentalnymi płytami tektonicznymi! Po jednej stronie znajduje się płyta północnoamerykańska, a po drugiej – eurazjatycka. Poruszają się one niezwykle powoli, w tempie jednego, dwóch centymetrów na rok. W związku z ich ruchami na Islandii dochodzi co roku do tysięcy trzęsień ziemi, ale zazwyczaj są to tylko lekkie, ledwo odczuwalne wstrząsy.

GEJZERY I GORĄCE ŹRÓDŁA

TŁUM OTACZA BŁOTNISTĄ KAŁUŻĘ, LUDZIE UWAŻAJĄ, ŻEBY NIE PRZEKROCZYĆ jej granicy, wyznaczonej rozpiętą wokół liną. W powietrzu unosi się woń zgniłych jaj. Zebrani wpatrują się w kałużę od dłuższego czasu. Nagle wystrzeliwuje z niej fontanna gorącej wody i pary. Wszyscy krzyczą z uciechy.

TO SIĘ NAZYWA GEJZER!

Gejzery to naturalne fontanny gorącej wody, występujące na terenach aktywnych wulkanicznie. Ich wybuchy następują zwykle dość regularnie. Woda wypływa pod ciśnieniem przez określony czas, a potem przestaje i cały cykl się powtarza.

Gejzer Old Faithful w amerykańskim Parku Narodowym Yellowstone wytryskuje co 35–120 minut, a strumień wody wzbija się na wysokość nawet 56 metrów!

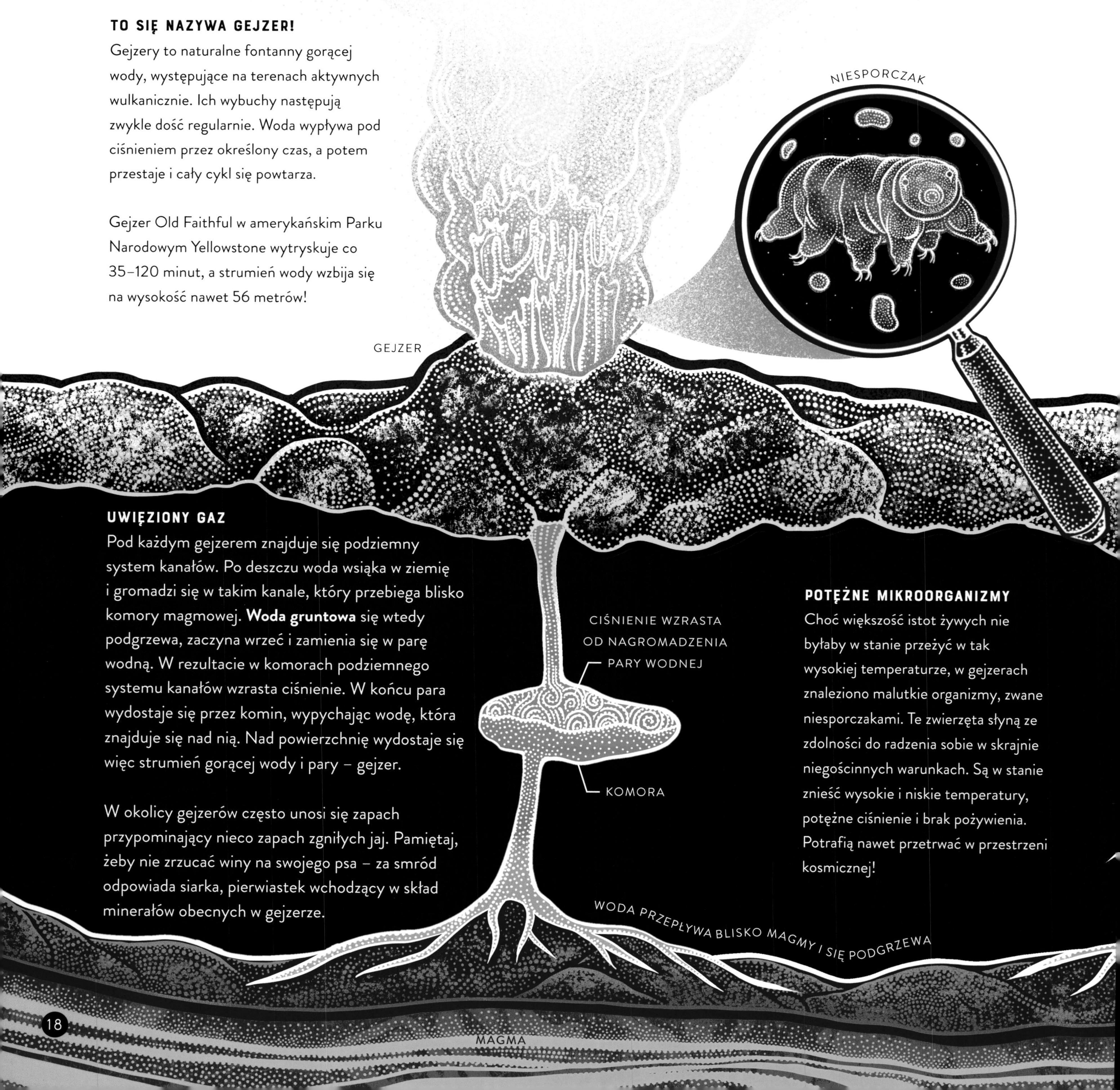

NIESPORCZAK

GEJZER

UWIĘZIONY GAZ

Pod każdym gejzerem znajduje się podziemny system kanałów. Po deszczu woda wsiąka w ziemię i gromadzi się w takim kanale, który przebiega blisko komory magmowej. **Woda gruntowa** się wtedy podgrzewa, zaczyna wrzeć i zamienia się w parę wodną. W rezultacie w komorach podziemnego systemu kanałów wzrasta ciśnienie. W końcu para wydostaje się przez komin, wypychając wodę, która znajduje się nad nią. Nad powierzchnię wydostaje się więc strumień gorącej wody i pary – gejzer.

W okolicy gejzerów często unosi się zapach przypominający nieco zapach zgniłych jaj. Pamiętaj, żeby nie zrzucać winy na swojego psa – za smród odpowiada siarka, pierwiastek wchodzący w skład minerałów obecnych w gejzerze.

CIŚNIENIE WZRASTA OD NAGROMADZENIA PARY WODNEJ

KOMORA

POTĘŻNE MIKROORGANIZMY

Choć większość istot żywych nie byłaby w stanie przeżyć w tak wysokiej temperaturze, w gejzerach znaleziono malutkie organizmy, zwane niesporczakami. Te zwierzęta słyną ze zdolności do radzenia sobie w skrajnie niegościnnych warunkach. Są w stanie znieść wysokie i niskie temperatury, potężne ciśnienie i brak pożywienia. Potrafią nawet przetrwać w przestrzeni kosmicznej!

WODA PRZEPŁYWA BLISKO MAGMY I SIĘ PODGRZEWA

MAGMA

RELAKSUJĄCA KĄPIEL

Wszystkie gejzery są **gorącymi źródłami**, ale nie wszystkie gorące źródła są gejzerami. Niektóre gorące źródła są po prostu zbiornikami ciepłej wody. Powstają one tak jak gejzery – woda gruntowa ulega podgrzaniu głęboko pod ziemią, kiedy znajdzie się blisko gorącej magmy. Jednak w tym wypadku woda podgrzewa się wolniej, a w systemie kanałów nie ma komór, więc nad ziemią nie dochodzi do erupcji. Ludzie kąpali się w gorących źródłach od początku istnienia naszego gatunku.

ZMAŁPOWANY POMYSŁ

W Parku Narodowym Jōshin'etsu Kōgen można spotkać makaki japońskie odpoczywające w zbudowanym specjalnie dla nich basenie, zasilanym gorącym źródłem. Podobno małpy te w latach sześćdziesiątych XX wieku zobaczyły ludzi wygrzewających się w takich źródłach i szybko pojęły, że jest to znakomity sposób na ogrzanie się w czasie srogich zim. Od tego czasu kolejne pokolenia makaków chętnie przesiadują w ciepłej wodzie!

JASKINIE I KRYSZTAŁY

„ECHO!", „ECHO!", „ECHO!". TWÓJ GŁOS ODBIJA SIĘ OD ŚCIAN JASKINI.

Z jej sklepienia i dna wyrastają potężne kolce. W świetle latarki ściany połyskują od kryształów.

POWSTANIE JASKINI

Większość jaskiń powstaje, kiedy woda deszczowa – mająca zwykle lekko kwaśny odczyn – wsiąka w podłoże i rozpuszcza fragmenty miękkiej skały, na przykład wapienia. Minerały zawarte w skale rozpuszczają się i są wypłukiwane – na podobnej zasadzie dosypany do herbaty cukier wydaje się znikać po zamieszaniu. Proces ten nosi nazwę **wietrzenia chemicznego**, a powstające w ten sposób puste przestrzenie w skale to **jaskinie krasowe**.

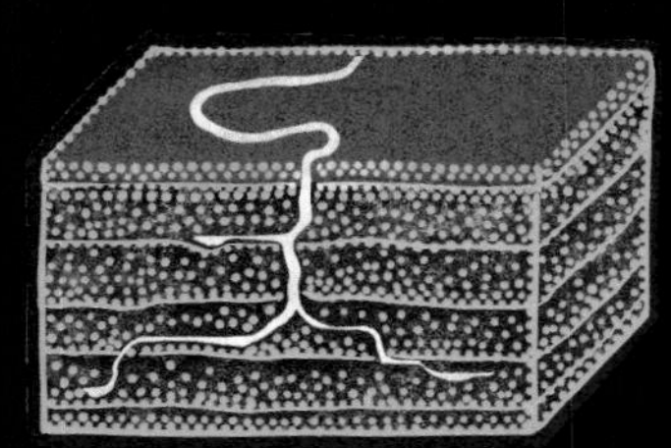

1. WODA WSIĄKA W PODŁOŻE

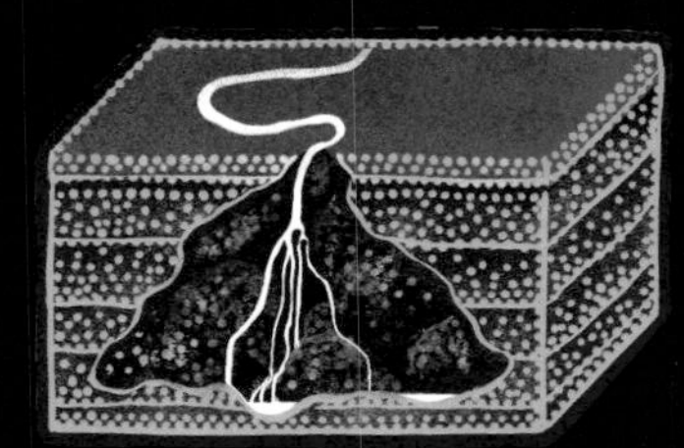

2. WODA ROZPUSZCZA SKAŁĘ I TWORZY JASKINIĘ

Inne jaskinie powstają w przybrzeżnych klifach, kiedy fale wybijają z czasem otwory w skale. Są to **jaskinie morskie**.

Kiedy lawa wypływa z wulkanu, jej wierzchnia część ochładza się i zastyga, podczas gdy spodnia nadal płynie. W takich miejscach powstają ruropodobne **jaskinie lawowe**.

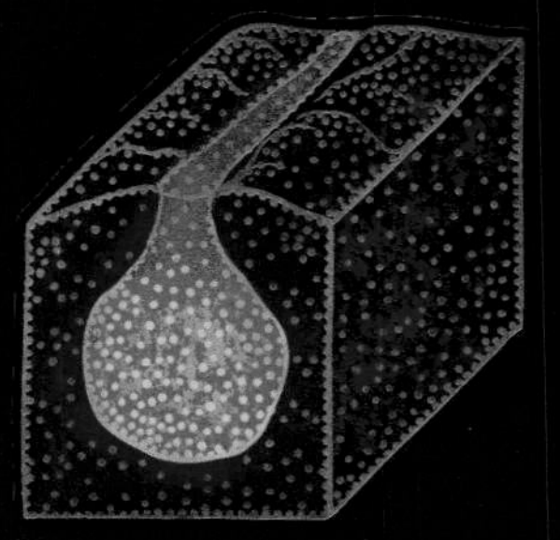

1. STRUMIEŃ LAWY PŁYNIE, A JEGO POWIERZCHNIA TĘŻEJE

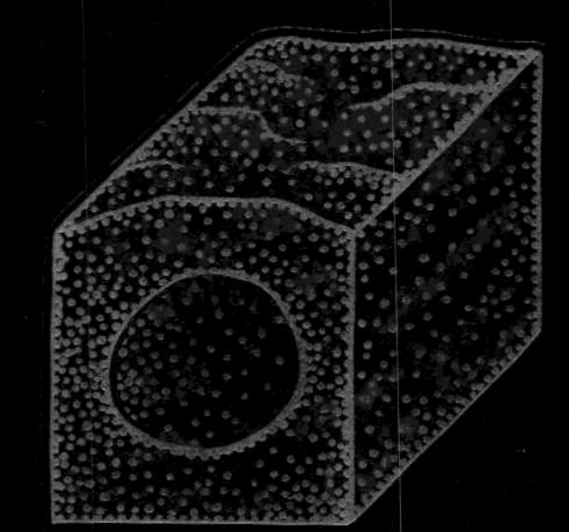

2. LAWA WYPŁYWA ZE ŚRODKA I POZOSTAWIA PO SOBIE JASKINIĘ LAWOWĄ

STALAKTYT

STALAGMIT

STALAGNAT

OSTRZE W CIEMNOŚCI

W jaskini krasowej woda skapuje powoli ze sklepienia, lecz pozostawia na nim lub na znajdującym się poniżej dnie drobiny rozpuszczonych w niej minerałów. Również skały składają się z minerałów, dlatego z upływem czasu w takich miejscach powstają ciekawe struktury. W jaskini wapiennej można spotkać zwisające ze sklepienia szpikulce przypominające sople lodu – **stalaktyty**. Z kolei szpikulce sterczące z dna jaskini to **stalagmity**. Te drugie powstają, kiedy krople wody uderzają w dno i zostawiają na nim część rozpuszczonych w niej minerałów.

Żeby zapamiętać znaczenie obu terminów, wystarczy sobie wyobrazić, że w nazwie „stalagmit" występuje litera M, która sama wygląda jak dwa stalagmity. Czasami stalaktyty i stalagmity wychodzą sobie na spotkanie i łączą się pośrodku jaskini – tworzą w ten sposób kolumnę, czyli **stalagnat**.

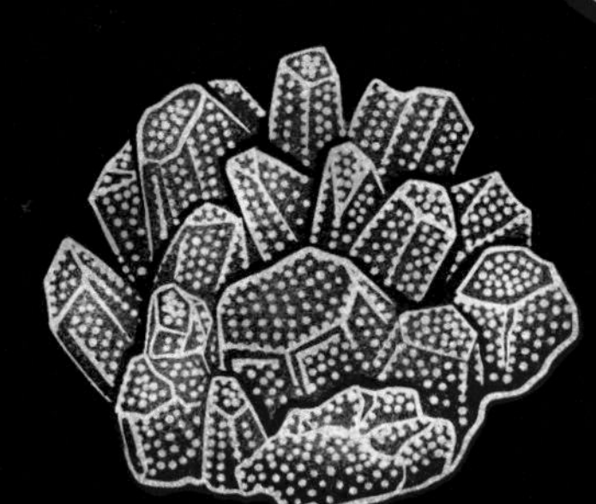

MINERALNE CUDA

Niektóre kryształy powstają z niesionych przez wodę malutkich „cegiełek" materii (atomów, cząsteczek lub jonów), które osadzają się w szczelinach skalnych jaskiń. Minerały to z kolei takie kryształy, które powstały w wyniku procesów geologicznych, na przykład podczas stygnięcia roztopionej skały.

KRYSZTAŁOWA JASKINIA, MEKSYK

W 2000 roku pod górą Naica w stanie Chihuahua w Meksyku odkryto jaskinię pełną gigantycznych kryształów selenitu, czyli półprzezroczystej odmiany gipsu. Kryształy urosły wskutek stopniowego odparowywania wody nasyconej gipsem. Są tak wielkie, ponieważ rosły przez około 500 tysięcy lat!

POTĘGA LODU

LÓD TO JEDEN Z NAJPOTĘŻNIEJSZYCH CZYNNIKÓW KSZTAŁTUJĄCYCH WYGLĄD ZIEMI.

EPOKA LODU I ŚNIEGU

W ciągu 4,6 miliarda lat istnienia Ziemi zdarzały się na niej długie okresy o niższych temperaturach, zwane **epokami lodowcowymi**. Zdaniem części naukowców żyjemy obecnie w epoce lodowcowej, która zaczęła się 3 miliony lat temu!

Natomiast kiedy ludzie potocznie mówią o epoce lodowcowej – z temperaturami poniżej zera oraz wielkimi ilościami lodu i śniegu – zwykle mają na myśli **glacjał**. Ostatni glacjał skończył się mniej więcej 10 tysięcy lat temu. Życie wyglądało wtedy zupełnie inaczej, a po Ziemi wciąż chodziły mamuty! Niskie temperatury panujące w glacjałach sprzyjają tworzeniu się **lodowców**.

POSTRZĘPIONE NORWESKIE FIORDY

POCHÓD LODOWYCH OLBRZYMÓW

Lodowce są ogromnymi masami lodu, powstającymi w najzimniejszych częściach naszej planety. Formują się przez setki lat, w miarę jak warstwy śniegu osiadają jedna na drugiej i zamieniają się w lód pod ciężarem kolejnych warstw.

Poruszający się lodowiec wpływa na kształt lądu, który się pod nim znajduje. Oddziałuje na ląd w taki sposób, jakby był niesamowicie powoli płynącą rzeką, która rzeźbi podłoże. Za sprawą grawitacji lodowce zawsze poruszają się ku niżej położonym obszarom, choć z prędkością zaledwie kilku centymetrów rocznie. Ich wielkość i masa sprawiają, że po ich przejściu na powierzchni Ziemi pozostają wielkie kanały i doliny. Nic nie jest w stanie powstrzymać ich marszu.

Miejsca, które podlegały erozji lodowcowej, można czasami rozpoznać na mapie dzięki „postrzępionej" linii brzegowej. Przykładem jest Norwegia, gdzie lodowce stworzyły fiordy – długie wąskie zatoki o stromych zboczach.

NIEZWYKŁA MOC ROZSZERZAJĄCEGO SIĘ LODU

Lodowce kształtują teren również za sprawą procesu zwanego **zamrozem**.

Woda podczas zamarzania zwiększa swoją objętość, czyli w postaci lodu zajmuje więcej miejsca niż w stanie ciekłym. Do zamrozu, czyli wietrzenia mrozowego, dochodzi wtedy, gdy woda zamarza w szczelinach skały i rozpiera je z siłą, która jest w stanie rozłupać nawet największe głazy.

Czasami zjawisko to przybiera interesującą postać. „Lodowe kwiaty" powstają, kiedy woda znajdująca się w łodydze rośliny zwiększa objętość podczas zamarzania i „wychodzi" na zewnątrz w postaci niezwykłych formacji lodowych, przypominających płatki kwiatów.

WODA DOSTAJE SIĘ DO SZCZELIN SKALNYCH | WODA ZAMARZA I ZWIĘKSZA SWOJĄ OBJĘTOŚĆ | SKAŁA PĘKA

LODOWE KWIATY

LEGENDA RYCINY

ZATOKA LODOWCÓW, ALASKA

1. LODOWIEC **2.** GÓRY LODOWE – bryły lodu, które oderwały się od lodowca **3.** FOKA POSPOLITA

Dziś żyjemy w **interglacjale**, czyli okresie, kiedy lodowce topnieją i się cofają. Niemniej wskutek **spowodowanych przez człowieka zmian klimatu** lodowce na całym świecie topnieją w szybszym tempie, niż powinny. Jest to poważny problem, który prowadzi do podnoszenia się poziomu mórz i powstawania bardziej ekstremalnych zjawisk pogodowych.

MORSKIE NIEZWYKŁOŚCI

ZNAJDUJESZ SIĘ NA STATKU, KTÓRY WYPŁYNĄŁ NA MORZE. PATRZYSZ PRZED SIEBIE. Morze ciągnie się po horyzont, nigdzie nie widać ani skrawka lądu. Spoglądasz na wodę, ale ona wydaje się niesamowicie głęboka, mroczna i tajemnicza. Czy wiesz, że morza pokrywają około 70% powierzchni Ziemi?

KSIĘŻYC I PŁYWY

W wielu miejscach na świecie podczas wizyty na plaży można zauważyć, że woda raz wdziera się głębiej w ląd, co zmusza nas do przeniesienia ręcznika i rzeczy, a kiedy indziej się cofa! Zjawisko to nosi nazwę pływów morskich. Powstają one wskutek oddziaływania grawitacyjnego Ziemi z Księżycem (i Słońcem). Ocean wybrzusza się lekko w części Ziemi zwróconej ku Księżycowi i jednocześnie w części zwróconej w przeciwną stronę. W związku z ruchem wirowym naszej planety obszar podlegający temu zjawisku się zmienia. Unoszenie się i opadanie wody obserwujemy właśnie pod postacią pływów.

KOTŁUJĄCE SIĘ WIRY

Ruch wody spowodowany pływami prowadzi czasem do powstawania wirów, czyli obszarów obracającej się wody. Zjawisko to obserwujemy w miejscach, w których spotykają się dwa prądy morskie zmierzające w przeciwnych kierunkach lub kiedy prąd napotyka na przeszkodę. Większość wirów jest dość słaba, ale niektóre potrafią zasysać i kierować w dół wszystko, co do nich wpadnie – zupełnie jak woda wypływająca z wanny. Tego typu potężne wiry z silnym prądem mogą być niebezpieczne.

PODWODNE WULKANY I KOMINY

Wulkany nie występują wyłącznie na lądzie – do ich erupcji dochodzi również na dnie morskim. Mamy wtedy do czynienia z tak zwanymi wulkanami podmorskimi. Wyrzucana przez nie lawa potrafi tworzyć nowe wyspy. Przykładami są Hawaje, Wyspy Kanaryjskie i archipelag Galapagos. Wokół podmorskich wulkanów powstają kominy hydrotermalne. Woda wnika tam przez szczeliny w dnie morskim i przepływa blisko magmy, a po ogrzaniu unosi się i wypływa przez komin hydrotermalny powyżej dna. Kominy wyglądają często tak, jakby wypuszczały z siebie kłęby białego lub czarnego dymu. Wypływająca z nich woda jest bogata w minerały, z których korzystają organizmy zamieszkujące mroczne głębiny. Bardzo możliwe, że życie na Ziemi wyewoluowało właśnie wokół kominów hydrotermalnych!

LEGENDA RYCINY

ISTOTY ŻYJĄCE PRZY KOMINACH HYDROTERMALNYCH NA PÓŁNOCNY WSCHÓD OD WULKANU EIFUKU

1. *RIFTIA PACHYPTILA* **2.** *THERMARCES CERBERUS* **3.** *ALVINELLA POMPEJANA*
4. *BATHYMODIOLUS THERMOPHILUS* **5.** KREWETKA **6.** *VULCANOCTOPUS HYDROTHERMALIS* **7.** *SHINKAIA CROSNIERI*

Kominy hydrotermalne występują na tak dużych głębokościach, że nie dociera tam w ogóle światło. Wypływająca z nich woda może osiągać temperaturę nawet 400°C. Większość istot żywych nie przetrwałaby w takich warunkach, niemniej istnieją organizmy, które przystosowały się do życia wokół takich kominów. Niektóre z nich nie występują nigdzie indziej na Ziemi.

ŚWIATŁA NA NIEBIE

JEST BEZCHMURNA NOC W NORWEGII. NA CIEMNYM NIEBIE NAD TOBĄ wiją się rzeki zielonego światła. W pewnej chwili dostrzegasz, że do tańca włączyła się też odrobina fioletu. To doprawdy magiczny widok!

Zjawisko to nosi nazwę zorzy polarnej, jako że występuje najczęściej w okolicach biegunów – północnego i południowego.

Te piękne światła zawdzięczmy **wiatrowi słonecznemu**, czyli strumieniowi **naładowanych cząstek** wypływającemu ze Słońca. Dlaczego jednak obserwujemy je tylko nieopodal biegunów? Ponieważ Ziemia jest wielkim magnesem.

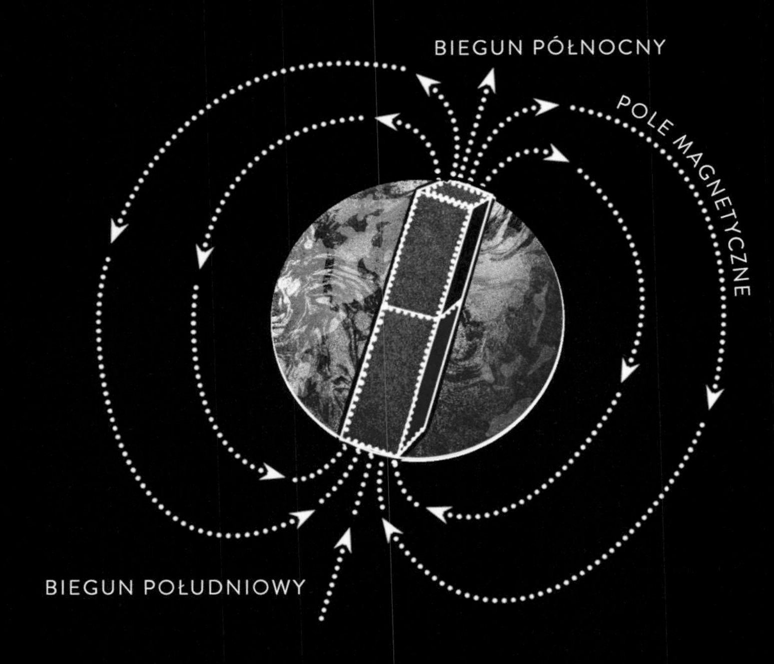

MAGNETYCZNY POKAZ

Ziemię otacza **pole magnetyczne**. Źródłem tego pola jest ruch materii w gorącym i płynnym metalicznym jądrze Ziemi. Na tradycyjnym kompasie dwukierunkowa strzałka ustawia się wzdłuż osi północ–południe, ponieważ tak przyciągają ją ziemskie bieguny magnetyczne.

Pole magnetyczne pełni funkcję swego rodzaju parasola, chroniącego Ziemię przed szkodliwymi cząstkami nadlatującymi z kosmosu, głównie przed wiatrem słonecznym. W okolicach biegunów północnego i południowego część cząstek wiatru słonecznego przedostaje się jednak do górnych warstw atmosfery. Tam zderzają się z cząsteczkami gazów wchodzących w skład atmosfery i pobudzają je do świecenia. W ten sposób powstają zorze polarne.

Szczególnie silny wiatr słoneczny może zaburzać działanie niektórych urządzeń, na przykład internetu. Od czasu do czasu mamy do czynienia z **burzą magnetyczną**, a wtedy zorzę polarną można zaobserwować też całkiem daleko od biegunów.

WSZYSTKIE BARWY ZORZY POLARNEJ

Zorza polarna najczęściej bywa zielona, niemniej wiatr słoneczny zderzający się z różnymi gazami na różnych wysokościach w atmosferze powoduje powstanie światła także o innych barwach, w tym czerwonej, fioletowej i niebieskiej. Im silniejszy wiatr słoneczny, tym bardziej efektowne światła zorzy i tym większa szansa na wielobarwny pokaz.

LEGENDA RYCINY

1. SŁOŃCE **2.** WIATR SŁONECZNY **3.** POLE MAGNETYCZNE ZIEMI PEŁNI FUNKCJĘ PARASOLA CHRONIĄCEGO NAS PRZED WIATREM SŁONECZNYM **4.** W OKOLICACH BIEGUNÓW CZĄSTKI WIATRU SŁONECZNEGO DOCIERAJĄ DO GÓRNYCH WARSTW ATMOSFERY I POBUDZAJĄ CZĄSTECZKI GAZÓW ATMOSFERY DO ŚWIECENIA **5.** ZIEMIA

Powyższa ilustracja przedstawia zorzę polarną rozświetlającą niebo w Norwegii.
Zorza polarna na półkuli północnej jest również określana łacińską nazwą *Aurora borealis*, a na półkuli południowej *Aurora australis*.

ROZPOZNAWANIE CHMUR

DELIKATNE KŁĘBIASTE CHMURY PRZESUWAJĄ SIĘ PO NIEBIE W WIETRZNY DZIEŃ.
Jedna przypomina psa, inna delfina! Istnieje wiele powodów, dla których chmury przybierają odmienną postać.

TWORZENIE SIĘ CHMUR

Chmury są częścią **cyklu hydrologicznego**. Cała woda na Ziemi uczestniczy w trwającym nieprzerwanie od 3,8 miliarda lat obiegu, w którym unosi się w powietrze, a potem znów opada na powierzchnię Ziemi. Oznacza to, że woda, którą pijesz dziś, mogła zostać kiedyś wysiusiana przez dinozaura! Na szczęście obieg wody w przyrodzie znakomicie ją **oczyszcza**, przez co staje się z powrotem zdatna do użytku.

1. PAROWANIE

Pod wpływem ciepła woda w procesie **parowania** zamienia się w gaz zwany **parą wodną**. Woda paruje z powierzchni mórz i rzek, po czym unosi się w górę.

2. KONDENSACJA

Podczas wznoszenia para wodna się ochładza i zamienia w małe kropelki. Proces ten nazywamy kondensacją. Kropelki są tak małe i lekkie, że unoszą się w powietrzu. Właśnie z nich składają się chmury. W chłodniejszych warunkach kropelki zamarzają w kryształki lodu, przez co chmury stają się pierzaste.

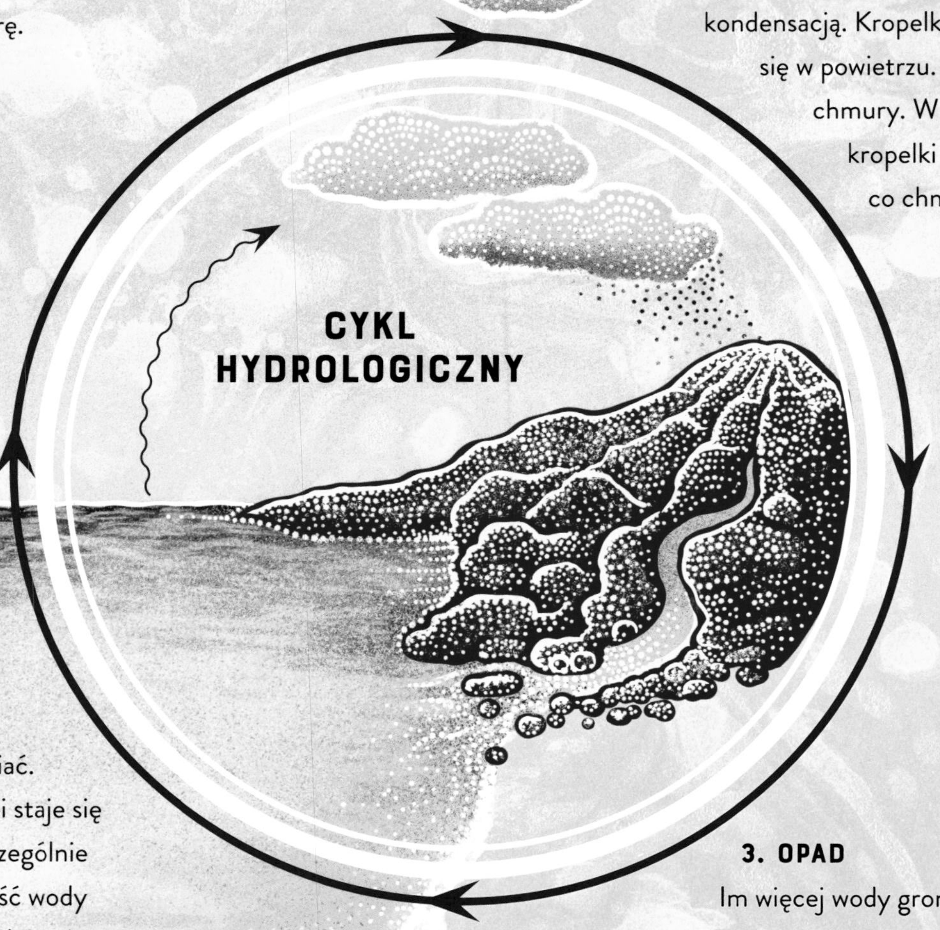

CYKL HYDROLOGICZNY

3. OPAD

Im więcej wody gromadzi się w chmurach, tym większe i cięższe stają się kropelki. W końcu zaczynają one zlatywać z powrotem na ziemię w procesie zwanym opadem. W zależności od temperatury opad może przybrać różną postać: najczęściej deszczu, śniegu lub gradu.

4. SPŁYW

Woda pochodząca z deszczu i śniegu musi się gdzieś podziać. Część z niej wsiąka w ziemię i staje się wodą gruntową. Podczas szczególnie obfitych deszczów spora część wody spływa po powierzchni do rzek i mórz.

LEGENDA RYCINY

1. CIRRUS **2.** CIRROCUMULUS **3.** CIRROSTRATUS
4. ALTOSTRATUS **5.** ALTOCUMULUS **6.** CUMULONIMBUS **7.** STRATUS
8. NIMBOSTRATUS **9.** CUMULUS

NAZWY CHMUR

Nazwy większości typów chmur pochodzą z łaciny i nawiązują do ich wyglądu:
Cirrus lub *cirro* – wysoki, strzępiasty
Stratus lub *strato* – warstwowy, płaski i gładki
Cumulus lub *cumulo* – puszysty
Alto – chmury średniego poziomu
Nimbus lub *Nimbo* – chmury deszczowe

BURZOWE NIEBO

NAGŁY BŁYSK ROZŚWIETLA CIEMNE, ZACHMURZONE NIEBO. Chwilę później przetacza się potężny grzmot. Wokół ciebie zaczynają bębnić duże krople deszczu, wieje silny wiatr. Nadchodzi burza!

TRZASK I BUM

Znaczna część burz powstaje wtedy, gdy ciepłe, wilgotne powietrze unosi się w górę i szybko schładza w zimniejszej wyższej części atmosfery. W rezultacie para wodna kondensuje się szybciej niż zwykle, powstają gęste chmury burzowe i zaczyna padać obfity deszcz, a czasami grad.

Piorun to przepływ ładunku elektrycznego z atmosfery do ziemi. Zanim rozpęta się burza, krople wody i kryształki lodu tworzące chmurę burzową zderzają się ze sobą, na skutek czego się elektryzują. Z czasem podstawa chmury staje się silnie naelektryzowana ujemnie. Nagromadzony ładunek w końcu przeskakuje ku ziemi w postaci wyładowania atmosferycznego, czyli **pioruna**, któremu towarzyszy zjawisko świetlne – błyskawica.

WŁOSY STAJĄ DĘBA!

Czy zdarzyło ci się kiedyś potrzeć nadmuchanym balonikiem o włosy? Podczas pocierania o siebie balonik i włosy elektryzują się, a to sprawia, że włosy stają dęba. Kiedy znajdziesz się na zewnątrz w czasie deszczu i twoje włosy staną nagle dęba, będzie to znak, że za chwilę uderzy piorun. Natychmiast szybko wracaj do domu!

Grzmot to dźwięk, który powstaje, kiedy piorun podgrzewa powietrze do temperatury pięciokrotnie wyższej niż temperatura Słońca! Im krótszy odstęp między błyskawicą a grzmotem, tym bliżej uderzył piorun. Różnica czasu między zaobserwowaną błyskawicą a usłyszanym grzmotem bierze się z tego, że światło przemieszcza się szybciej niż dźwięk.

POWIETRZNY WIR

„Oko cyklonu" to termin, którym nazywamy osobliwie spokojny obszar pośrodku cyklonu tropikalnego. Cyklony powstają, kiedy ciepłe, wilgotne powietrze wznosi się znad ciepłego morza, co prowadzi do powstania obszaru niskiego ciśnienia. Wyżej to powietrze się ochładza, zawarta w nim para wodna kondensuje się w chmury, a te zostają rozepchnięte na boki przez kolejne warstwy ciepłego wilgotnego powietrza, napływające z dołu. Powstaje wtedy wirujący system burzowy, z silnym wiatrem i deszczem.

KIEDY BURZA STAJE SIĘ HURAGANEM?

Ponieważ burze powstają w wyniku parowania wody, im wyższa temperatura i wilgotność panują na danym obszarze, tym potężniejsze występują tam burze. Właśnie dlatego największe burze obserwujemy najczęściej w obszarach tropikalnych. Dzielimy je na kategorie w zależności od siły wiatru. Kiedy prędkość wiatru przekroczy 115 km/h, burzę nazwiemy **huraganem**, jeżeli powstała na północnym Atlantyku, środkowo-północnym Pacyfiku lub północno-wschodnim Pacyfiku; **cyklonem**, jeżeli powstała nad Oceanem Indyjskim lub południowym Pacyfikiem; lub **tajfunem**, jeżeli ciepłe, wilgotne powietrze pochodzi znad północno-zachodniego Pacyfiku.

TRĄBY POWIETRZNE

Trąby powietrzne (tornada) to wirujące, lejowate słupy powietrza, łączące chmurę burzową z ziemią. Zwykle istnieją przez krótki czas, niemniej mogą się kręcić z prędkością do 490 km/h i powodować ogromne zniszczenia!

ŚWIETLNE FIGLE

CZY WIESZ, ŻE TĘCZA TO ZŁUDZENIE OPTYCZNE?

Złudzenie optyczne to coś, co widzimy, a co faktycznie nie istnieje.

TĘCZA

Widzimy tęczę, kiedy światło przechodzi przez kropelki wody pod odpowiednim kątem. Właśnie dlatego możemy czasem dostrzec ją w mgiełce unoszącej się nad wodospadem lub nawet nad wężem ogrodowym w letni dzień! Mimo że światło słoneczne wydaje się białe, tak naprawdę jest mieszaniną wszystkich barw. Kiedy pada na kroplę wody, ulega rozszczepieniu na tęczę. Dzieje się tak za sprawą zjawiska zwanego **dyspersją**.

ZAKRZYWIAJĄCE SIĘ ŚWIATŁO

Z refrakcją mamy do czynienia, gdy światło zmienia kierunek rozchodzenia się i przez to wydaje się zakrzywiać. Dzieje się tak, kiedy przechodzi między różnymi przezroczystymi ośrodkami, na przykład powietrzem, wodą i lodem. Światło porusza się z różną prędkością w każdym z nich i zmienia kąt, pod którym się załamuje, gdy przechodzi z jednego ośrodka do drugiego. Możesz samodzielnie zaobserwować to zjawisko. Włóż prosty podłużny przedmiot, na przykład ołówek, do szklanki z wodą, a zobaczysz, że wygląda on, jakby był zakrzywiony.

MIRAŻ

Czasami osoby podróżujące przez pustynię widzą nieistniejące kałuże lub jeziora. Zjawisko to nazywamy fatamorganą lub mirażem. Możesz je zaobserwować samodzielnie, kiedy powietrze drga nad mocno rozgrzanym asfaltem. Miraż powstaje, kiedy nad bardzo gorącym powietrzem tuż nad ziemią znajduje się warstwa chłodniejszego powietrza. Różnica temperatur sprawia, że warstwy powietrza mają różną gęstość. Przemieszczające się między nimi światło zmienia kierunek – czyli załamuje się – do tego stopnia, że powietrze działa jak lustro odbijające niebo powyżej. Zakrzywione promienie docierają do naszych oczu pozornie z innego kierunku, więc w efekcie widzimy obraz niebieskiego nieba, który wygląda jak tafla połyskującej wody na asfalcie!

NASTROJOWE ŚWIATŁA

Unoszące się w powietrzu kryształki lodu czasami sprawiają, że światło odbija się, ulega refrakcji i tworzy niesamowity pokaz. Słupy świetlne wybiegają w niebo z położnego nisko źródła światła. Z kolei halo to świetlisty pierścień wokół tarczy słonecznej. Kolorowe zgrubienia po bokach nazwane są słońcami pobocznymi.

„OGNIOSPAD”, WODOSPAD HORSETAIL, YOSEMITE, USA

O zachodzie słońca w lutym wodospad Horsetail (koński ogon) przypomina strumień ognistej lawy spływającej ze szczytu urwiska. To złudzenie optyczne powstaje, kiedy złote światło zachodzącego słońca pada pod odpowiednim kątem na wodę!

EKSCYTUJĄCY ŚWIAT NAUK O ZIEMI

CAŁĄ NASZĄ WIEDZĘ NA TEMAT ZJAWISK ZACHODZĄCYCH NA ZIEMI ZAWDZIĘCZAMY naukowcom, którzy badają je na wiele różnych sposobów – jedni podchodzą na skraj potoków lawy, inni katalogują cenne skamieniałości w muzeach.

WULKANY

Zbliżanie się do aktywnego wulkanu nie każdemu wydałoby się szczególnie kuszącą perspektywą, ale dla tych naukowców to chleb powszedni! **Wulkanolodzy** badają procesy prowadzące do powstawania wulkanów i ich erupcji. Wyprawiają się w teren, żeby monitorować ich aktywność oraz zbierać próbki skał i lawy.

TRZĘSIENIA ZIEMI

Sejsmolodzy badają strukturę naszej planety, żeby zrozumieć i przewidywać trzęsienia ziemi. Za pomocą specjalnych urządzeń śledzą **drgania i ruchy skorupy ziemskiej** oraz tworzą mapy linii uskoku. Opracowują również systemy ostrzegania dla obszarów dotkniętych częstymi trzęsieniami ziemi.

OCEANY

Oceanografowie badają oceany w całej ich złożoności. Analizują geologię dna morskiego, ekosystemy, skład chemiczny wody, prądy morskie i zależności występujące między wszystkimi tymi czynnikami. Choć sporą część pracy wykonują w laboratoriach, często organizują też wyprawy badawcze: wypływają statkami w morze, nurkują przy rafach koralowych i zanurzają się w głębiny oceanu w batyskafach.

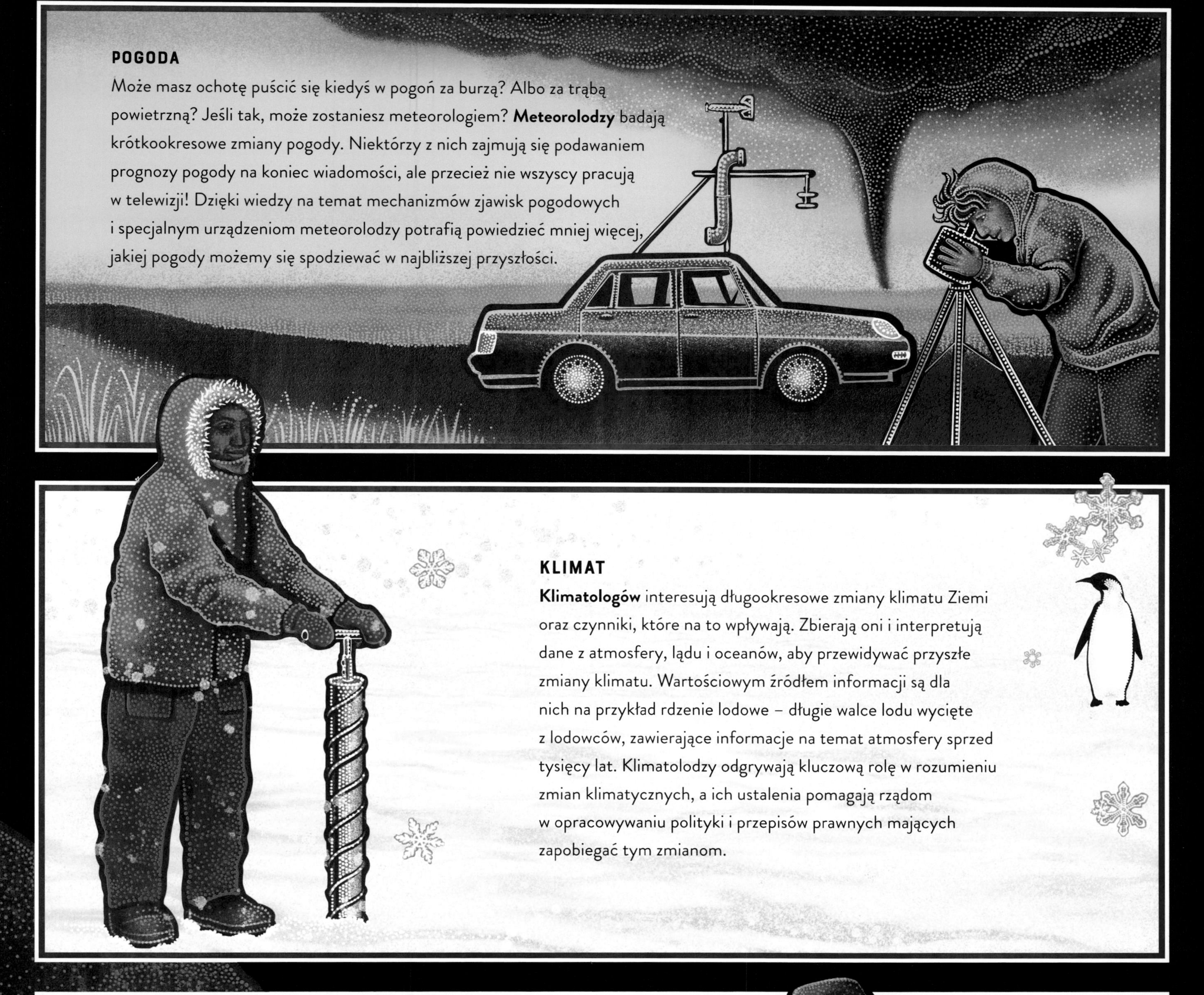

POGODA

Może masz ochotę puścić się kiedyś w pogoń za burzą? Albo za trąbą powietrzną? Jeśli tak, może zostaniesz meteorologiem? **Meteorolodzy** badają krótkookresowe zmiany pogody. Niektórzy z nich zajmują się podawaniem prognozy pogody na koniec wiadomości, ale przecież nie wszyscy pracują w telewizji! Dzięki wiedzy na temat mechanizmów zjawisk pogodowych i specjalnym urządzeniom meteorolodzy potrafią powiedzieć mniej więcej, jakiej pogody możemy się spodziewać w najbliższej przyszłości.

KLIMAT

Klimatologów interesują długookresowe zmiany klimatu Ziemi oraz czynniki, które na to wpływają. Zbierają oni i interpretują dane z atmosfery, lądu i oceanów, aby przewidywać przyszłe zmiany klimatu. Wartościowym źródłem informacji są dla nich na przykład rdzenie lodowe – długie walce lodu wycięte z lodowców, zawierające informacje na temat atmosfery sprzed tysięcy lat. Klimatolodzy odgrywają kluczową rolę w rozumieniu zmian klimatycznych, a ich ustalenia pomagają rządom w opracowywaniu polityki i przepisów prawnych mających zapobiegać tym zmianom.

SKAMIENIAŁOŚCI

Paleontolodzy zajmują się skamieniałościami i za ich pomocą starają się odtworzyć historię Ziemi. Wielu paleontologów spędza dużo czasu na poszukiwaniu skamieniałości wzdłuż wybrzeży mórz, w kamieniołomach i na szczytach gór. Najwięcej okazów można znaleźć tam, gdzie wierzchnia warstwa skał uległa erozji.

LEGENDY o ZIEMI

CZY NA WIDOK DZIWNIE WYGLĄDAJĄCEGO WZGÓRZA NIGDY NIE NASZŁA CIĘ OCHOTA, żeby wymyślić jakąś historię wyjaśniającą jego powstanie? Zanim ludzie zaczęli szukać odpowiedzi w nauce, wiele kultur starało się zrozumieć otaczający je świat z pomocą legend i opowieści.

CO LEGENDY MOGĄ NAM POWIEDZIEĆ?

Starożytne legendy wspominają czasami o prawdziwych wydarzeniach geologicznych i mogą zawierać ważne wskazówki dla **geologów** i **archeologów**. Niektóre pozwalają odnaleźć miejsca lub obszary ciekawe z naukowego punktu widzenia. Opowieści te nie są po prostu tworami ludzkiej fantazji – mogą mieć głębokie znaczenie kulturowe i duchowe dla ludzi, którzy je sobie przekazują, oraz budować ich więź z ziemią, którą nazywają swoim domem.

STAROŻYTNI GRECCY BOGOWIE

Starożytni Grecy wierzyli, że wiele zjawisk naturalnych z otaczającego ich świata powstaje za sprawą działań bogów.

Trzęsienia ziemi miały być sprawką tytanów uwięzionych pod ziemią przez boga Zeusa, a wulkany uważano za kominy kuźni boga kowalstwa Hefajstosa. Erupcjom wulkanów towarzyszą czasami głośne metaliczne odgłosy, które mogą przypominać uderzenia kowalskiego młota.

WYŚCIG HAWAJSKICH BOGIŃ

W hawajskim folklorze Pele to bogini ognia i twórczyni wysp. Słynie z ognistego temperamentu – erupcje wulkanów mają być wynikiem jej gniewu, a trzęsienia ziemi – tupania nogami. Jest jednocześnie boginią destrukcji i kreacji, jako że powodowane przez nią erupcje tworzą nowe wyspy i użyźniają glebę.

Wiele opowieści o Pele zawiera odwołania do prawdziwych miejsc. Na przykład gęste bazaltowe skały występujące na stokach wulkanu Mauna Kea miały powstać w czasie jej starcia z boginią śniegu Poli'ahu, Kiedy Pele przegrała z Poli'ahu wyścig w zjeżdżaniu na saniach po skale, zezłościła się i zaczęła w nią ciskać kawałkami lawy. Poli'ahu się broniła, ochładzając lawę śniegiem. Co ciekawe, bazalt rzeczywiście powstaje w czasie szybkiego stygnięcia lawy.

GÓRA WYRZEŹBIONA PRZEZ WIELKIEGO NIEDŹWIEDZIA

Wieża Niedźwiedzia, zwana również Wieżą Diabła, to stroma góra w stanie Wyoming w USA, zbudowana ze skały ukształtowanej przez aktywność wulkaniczną. Słynie z prawie pionowych, pobrużdżonych zboczy, które wyglądają tak, jakby zostały wyrzeźbione przez wielkie pazury.

Co najmniej 24 indiańskie plemiona dysponują podobnymi, choć różniącymi się w detalach legendami o powstaniu góry. Większość wspomina o Wielkim Duchu, który wyniósł górę nad poziom ziemi, żeby uratować ludzi ściganych przez wielkiego niedźwiedzia. Sfrustrowana bestia wyryła rysy w skale podczas prób wspięcia się na nią i dosięgnięcia ludzi na szczycie.

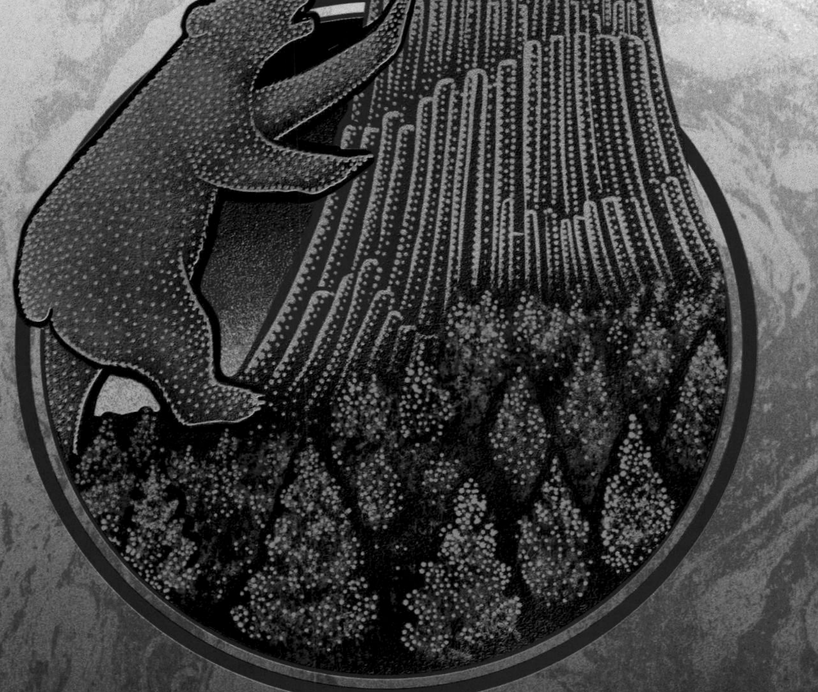

NORDYCKA LEGENDA O FIMBULVINTER

W mitologii nordyckiej wspomina się o Fimbulvetr lub Fimbulvinter, czyli „niekończącej się" zimie. Badacze sądzą, że opowieść ta może mieć źródło we wspomnieniach wikingów z czasów gigantycznej erupcji pewnego wulkanu. Doszło do niej w Ameryce Południowej, lecz wulkan wyrzucił wtedy do atmosfery takie ilości pyłu, że przesłoniły słońce! W rezultacie w Skandynawii zima trwała przez trzy lata, co odbiło się na uprawie roślin i życiu jej mieszkańców. W tamtych czasach ludzie mogli się obawiać, że zima nigdy się nie skończy!

OPOWIEŚĆ SPRZED 37 TYSIĘCY LAT

Rdzenni mieszkańcy Australii mają silnie rozbudowaną tradycję ustną. Jedna z opowieści przekazywana w plemieniu Gunditjmara opisuje erupcję wulkanu, do której doszło mniej więcej 37 tysięcy lat temu. Mówi ona o czterech gigantach, którzy przybyli do południowo-wschodniej Australii. Trzej z nich kontynuowali podróż, ale jeden został niedaleko wybrzeża i stał się wulkanem Budj Bim. Jego zęby zamieniły się w lawę, która całkowicie przeobraziła okolicę.

W tamtej okolicy nie doszło do żadnej innej erupcji, która mogłaby być inspiracją dla tej opowieści, a istniejące ślady archeologiczne wskazują na to, że Gunditjmara żyją w okolicy od 50 tysięcy lat. Uważa się, że jest to najstarsza opowieść przekazywana wciąż z pokolenia na pokolenie za pomocą tradycji ustnej.

SŁOWNICZEK

archeolodzy – uczeni badający historię człowieka na podstawie zachowanych szczątków i artefaktów z przeszłości

chmura popiołu – chmura powstająca podczas erupcji wulkanu, składająca się z drobinek skały, minerałów i szkliwa wulkanicznego

cykl hydrologiczny – nieprzerwany obieg wody w różnych stanach skupienia, występujący na Ziemi

cyklon tropikalny – gwałtowna burza powstająca w obszarach między zwrotnikami

cząstki naładowane – maleńkie drobiny materii, mające ładunek elektryczny

dolina ryftowa – duża dolina lub zagłębienie powstające między dwiema płytami tektonicznymi, które odsuwają się od siebie

drzemiący (uśpiony) wulkan – typ wulkanu, który nie wybuchł od dłuższego czasu, ale może wybuchnąć w przyszłości

epoka lodowcowa – długi okres ochłodzenia klimatu, cechujący się obecnością większej ilości lądolodów i lodowców. Może trwać miliony lat

erozja – proces niszczenia skały i gleby i jej przenoszenia w inne miejsce za pomocą sił natury, na przykład wiatru lub wody

fontanna lawy – strumień lawy wytryskujący z wulkanu w czasie jego erupcji

gejzery – gorące źródła, z których co jakiś czas wystrzeliwują strumienie gorącej wody i pary

geolodzy – uczeni badający strukturę i skład Ziemi

geologia – nauka o strukturze i składzie Ziemi

geotermalny komin – otwór w dnie morskim, z którego wydobywa się podgrzana woda

glacjał – długi okres niskich temperatur, występujący podczas epoki lodowcowej, w czasie którego dużą część powierzchni Ziemi pokrywają lodowce

gorące źródło – źródło naturalnie gorącej wody, podgrzewanej przez magmę znajdującą się pod ziemią

góry fałdowe – typ gór powstających, kiedy płyty tektoniczne napierają na siebie

góry kopułowe – typ gór powstających w miejscu, w którym magma naciska od dołu na skorupę ziemską, a następnie zastyga w skały magmowe

góry wulkaniczne – typ gór uformowanych przez erupcje wulkanów

góry zrębowe – typ gór, które powstają, kiedy jakiś obszar ulega wyniesieniu lub obniżeniu wzdłuż linii uskoku – pęknięcia skorupy ziemskiej

huragan – cyklon tropikalny powstający nad północnym Atlantykiem, środkowo--północnym Pacyfikiem lub północno--wschodnim Pacyfikiem

interglacjał – okres między glacjałami, kiedy temperatura na Ziemi wzrasta, a lodowce topnieją i się kurczą

jaskinie krasowe – typ jaskiń powstających za sprawą kwaśnej wody stopniowo rozpuszczającej skałę

jaskinie morskie – jaskinie powstające w przybrzeżnych klifach pod wpływem erozji zachodzącej wskutek uderzeń fal

klimat – przeciętne warunki pogodowe panujące w danym miejscu w dłuższym okresie

kryształy – ciała stałe, których cząsteczki lub atomy układają się w powtarzający się wzór. Wiele kryształów występuje w skałach i może przybierać piękne, oryginalne formy

lawa – płynna lub roztopiona skała wypływająca na powierzchnię Ziemi z wulkanu lub szczeliny w skorupie ziemskiej

linie uskoku – długie pęknięcia w powierzchni Ziemi

lodowce – duże, powoli przemieszczające się rzeki lodu

magma – płynna lub roztopiona skała, przemieszczająca się pod skorupą ziemską

magnetyczna burza – zakłócenia pola magnetycznego Ziemi, zazwyczaj związane ze zmianą aktywności Słońca, wpływającą na wiatr słoneczny

materia organiczna – pozostałości po istotach żywych

minerały – kryształy, które powstały w wyniku procesów geologicznych, na przykład podczas stygnięcia roztopionej skały. Minerałem jest chociażby sól

nauki o Ziemi – zbiór nauk zajmujących się badaniem naszej planety

oczyszczanie – usuwanie zanieczyszczeń, dzięki czemu dana substancja – na przykład woda – staje się czysta i bezpieczna

osad – drobne cząstki skał, minerałów i resztek martwych roślin czy zwierząt, przenoszone przez wodę lub wiatr i osadzające się warstwami na ziemi lub dnie morskim

para wodna – woda w stanie gazowym

petryfikacja – proces, w którym materia organiczna zamienia się stopniowo w kamień

piorun – silne wyładowanie, spowodowane przeskokiem nagromadzonego ładunku elektrycznego z chmury burzowej do ziemi

płaskowyż – wyniesiony w górę płaski obszar o stromych zewnętrznych stokach

płyty tektoniczne – przypominające układankę fragmenty skorupy ziemskiej, tworzące wspólnie powierzchnię Ziemi

pole magnetyczne – obszar wokół magnesu, na którym odczuwane jest oddziaływanie magnetyczne

potoki lawy – lawa wypływająca z wulkanu w czasie jego erupcji i spływająca po zboczu

refrakcja – zmiana kierunku przemieszczania się światła przy przejściu z jednego ośrodka do innego

skały magmowe – typ skał powstających, kiedy lawa lub magma ulega schłodzeniu i zastyga

skały metamorficzne – typ skał, które uległy przekształceniu pod wpływem wysokiej temperatury lub wysokiego ciśnienia

skały osadowe – typ skał powstających, kiedy kolejne warstwy osadu ulegają ściśnięciu pod własnym ciężarem w ciągu milionów lat

skamieniałości – zachowane szczątki lub ślady zwierząt lub roślin żyjących dawno temu. Często znajdowane są w skałach

spływ piroklastyczny – gęsta, szybko przemieszczająca się mieszanina gorących odłamków skały, popiołu wulkanicznego i gazu, spływająca po zboczach wulkanu w czasie niektórych erupcji

stalagmit – skalny szpikulec sterczący z dna jaskini, uformowany przez powolne skapywanie wody zawierającej minerały

stalaktyt – skalny szpikulec zwisający ze stropu jaskini, uformowany przez powolne skapywanie wody zawierającej minerały

stratowulkan – typ wulkanu o stromych zboczach. Jego erupcja może być bardzo gwałtowna

tajfun – cyklon tropikalny powstający nad północno-zachodnim Pacyfikiem

tarcie – siła powstająca, kiedy dwie stykające się powierzchnie lub obiekty przesuwają się względem siebie

tsunami – wielka fala morska, zwykle wzbudzona przez trzęsienie ziemi lub erupcję wulkanu podmorskiego

wiatr słoneczny – strumień cząstek naładowanych, wypływający ze Słońca i rozchodzący się po Układzie Słonecznym

wietrzenie – stopniowy rozpad lub rozpuszczanie skał, gleby i minerałów

woda gruntowa – woda znajdująca się pod powierzchnią Ziemi

wulkan podmorski – typ wulkanu, który wybucha pod wodą

wulkan tarczowy – typ wulkanu o łagodnych zboczach. Jego erupcje są zwykle spokojniejsze, niż ma to miejsce w przypadku stratowulkanów

wygasły wulkan – typ wulkanu, który prawdopodobnie nigdy więcej nie wybuchnie

wyginięcie – sytuacja, w której gatunek zwierzęcia lub rośliny znika z powierzchni Ziemi

zamróz – typ erozji zachodzącej wskutek zamarzania wody w szczelinach skał. Po przekształceniu się w lód woda zwiększa swoją objętość i rozsadza skały

zjawiska meteorologiczne – zjawiska zachodzące w atmosferze Ziemi, w tym pogodowe, jak trąby powietrzne i błyskawice, oraz optyczne, jak zorze polarne i tęcze

zmiany klimatu spowodowane przez człowieka – temperatura Ziemi wzrasta szybciej, niż powinna, wskutek działalności człowieka, np. używania paliw kopalnych

zorza polarna – kolorowe światła pojawiające się czasami w naturalny sposób na nocnym niebie w okolicy biegunów północnego i południowego

INDEKS

A
archeolodzy 36, 38
atmosfera 6, 8, 38

B
błyskawica 30, 39
burze 30
burze magnetyczne 26, 38

C
chmury 28–29
chmury popiołu 11, 38
cykl hydrologiczny 28, 39
cyklony 31, 38
cząsteczki 21, 39
doliny ryftowe 17, 39

E
epoki lodowcowe 22, 38
erozja 12, 38

G
gejzery 7, 18, 19, 38
geolodzy 36, 38
geologia 6, 35, 38
gorące źródła 19,38
góry 6, 14–15, 38
góry lodowe 6, 23

H
hawajskie boginie 36
Hillary, Edmund 15
historia 12–13
historia Ziemi 24
huragany 31, 38

J
jaskinie 20–21
jaskinie krasowe 20, 39
jaskinie morskie 20, 39
jądro wewnętrzne 8, 9
jądro zewnętrzne 8, 9

K
kanał lawowy 11
kominy 11, 24
kominy hydrotermalne 24, 25, 38
kondensacja 28
kratery 11
kryształy 20–21, 38
Księżyc 24

L
lawa 10, 11, 20, 39
legendy 36–37
linie uskoku 6, 14, 34, 38
lodowce 7, 22–23, 38
lód 22–23, 33

M
magma 10, 11, 24, 39
magnetyczne pole 26, 27, 39
materia organiczna 12, 39
meteorolodzy 35
minerały 10, 39
miraże 32
Mount Everest 15

N
nauki o Ziemi 34–35
niesporczaki 18
Norgay, Tenzing 15

O
oceanolodzy 35
opady 28
opowieści rdzennych mieszkańców Australii 37
osady 12, 39

P
paleontolodzy 34
parowanie 28
petryfikacja 12, 39
płaszcz 8, 9
płyty tektoniczne 9, 16, 17, 39
przewody boczne 11

R
refrakcja 32, 39

S
sejsmolodzy 34
skały 10, 12, 38
skały magmowe 12, 38
skały metamorficzne 12, 39
skamieniałości 12, 34, 38
skorupa ziemska 8
spływ 28
spływ piroklastyczny 10, 39
stalagmity 20, 39
stalaktyty 20, 39
stratowulkany 10, 39

Ś
światła na niebie 26-27

T
tajfuny 31, 39
tarcie 16, 38, 39
tornada 13
trzęsienia ziemi 16–17, 34, 36
tsunami 16, 39

W
wiatr słoneczny 26, 27, 39
wietrzenie 39
Wieża Niedźwiedzia 37
wiry 7, 24
woda gruntowa 28, 38
wodna para 28, 30
wulkanolodzy 34
wulkany 7, 9, 10–11, 25, 36, 37, 38, 39
wulkany podmorskie 24, 39
wyginięcie 13, 38

Z
zamróz 22, 38
Zatoka Lodowców, Alaska 23
Ziemia 8–9
zjawiska 6–7
złudzenia optyczne 32–33
zmiany klimatu 13, 23, 35, 38
zorza polarna 26, 38

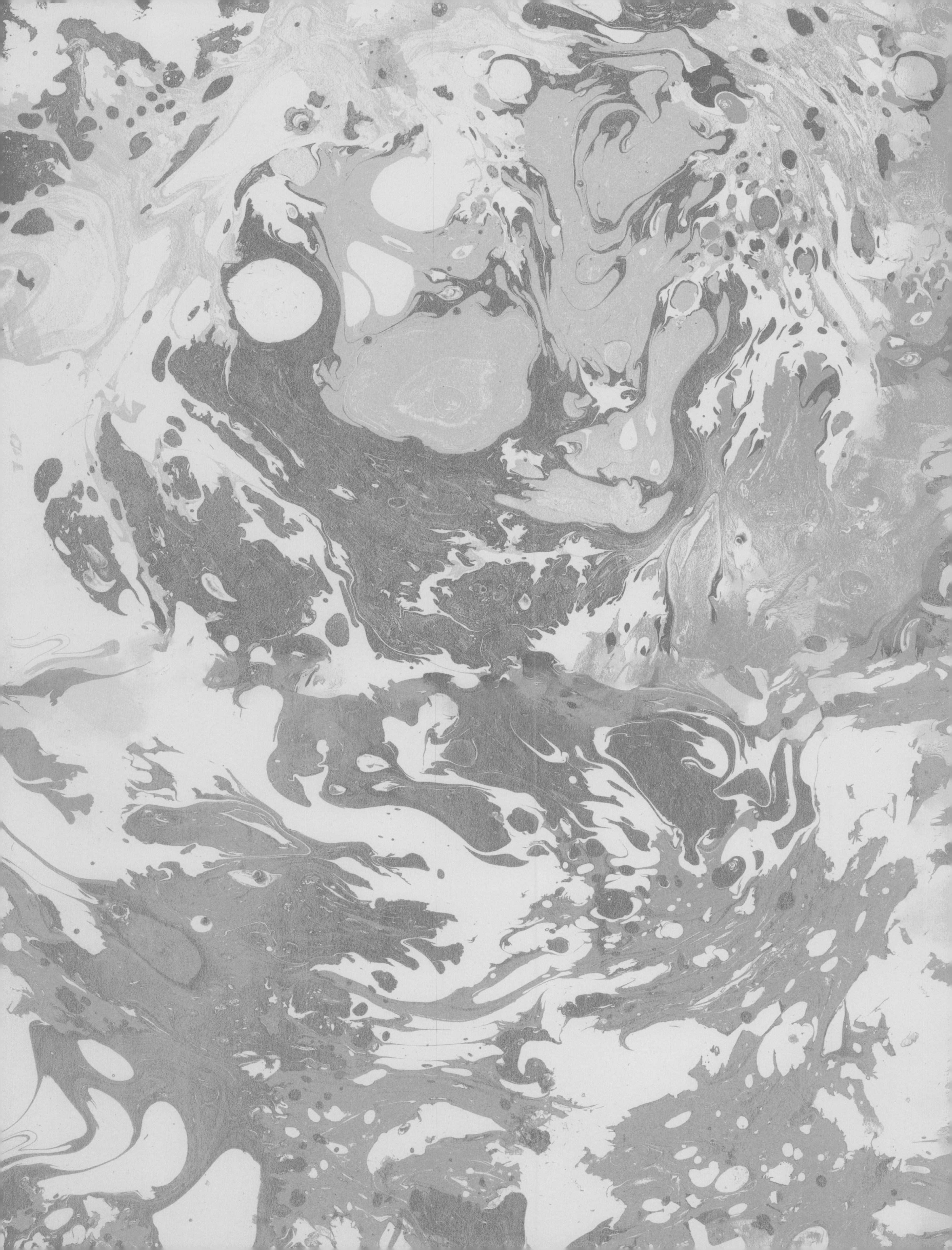